齋藤孝の冒頭文de文学案内

――1分で蓄える知識&読みどころ

齋藤 孝

柏書房

はじめに

冒頭文には著者の魂がこもっている。私はそのように思っています。

文章を読むことは人生のためになることなので、できればみなさんには多くの作品に触れてほしいです。では、どの本を読んだらいいか決める手立てはどこにあるのか、といいますと、それは冒頭文にあるのです。

まずは冒頭文を音読してみてください。そして、「この作品は自分にはフィットする」とか、「これは大丈夫、イケる」と思った作品があったら、その続きを読んでほしいと思います。

本の選び方にあらすじ派と音読派があるとすれば、私は部分的にでも音読派というタイプです。というのも、あらすじというのは筋の流れだけになってしまうので、著者・作者の本当の思いが込められた部分がどうしても抜けるのです。魂がこもったあらすじというのはあまりないと思います。でも、作品そのものの一部分は、音読してみると著者の魂を感じ取ることができる。だから、私は原文を、ある限られた部分でもいいから音読してみることをおすすめしています。

全部音読するのは確かに大変かもしれませんが、限られた部分を音読することで、その著者の文体の良さはわかります。文体というのはその著者の気質であり、生き方のスタイルでもあります。ですが、文体というものはあらすじから抜けてしまいます。手触り、肌触りというものは文体にあるわけですから、どうしても原文に触れる必要があるのです。

かといって、たくさんの作品を最初から最後まで全部読み通すのは大変ですし、どれを読むか選ぶ必要もあります。その作品が自分にとって、イケる作品である、読める作品である、そういう感触を得たならば読んでみる。その試金石となるのが冒頭文なのです。

冒頭文は作品のはじめですから、そこから読むのが自然です。そして冒頭文というのはどんな作家・著者でも非常に気をつかうものです。そこに自分の良さが現れるように工夫します。

漫画『ジョジョの奇妙な冒険』の作者の荒木飛呂彦さんは、ある本で、一ページ目でとにかく惹きつける、と書いています。どうやって最初で惹きつけて、次のページをめくらせるかということに関してすごく深い考えをお持ちの方なんですね。最初で惹きつけなければ読んでもらえないかもしれない、というのは物を書く人みんなが思うことです。ですから、最初の一文にインパクトのあるフレーズをもってくることが多い。大作家は冒頭文だけを取り上げても、やっぱりこれはうまいなぁ、と感心させられる作品が多いです。

ですから、文豪たちあるいは優れた著者たちの魂のこもった最初の一撃を受け止めてほしいと思います。どれだけ心を込めて書いたのかと考えながら読むと、ほーなるほど、と作品世界との距離感が一気に近く感じられるようになるのです。

川端康成に『雪国』という作品があります。「くにざかい」と読むのか「こっきょう」と読むのか今でも議論がありますが、その国境を抜けると雪国であったと、もうこれだけでも名文です。主語がないんですね。誰が抜けたのか、列車が抜けたのか、よく分からない。そして「夜の底が白くなった」とあって、一気にその世界に導かれていく。こういう冒頭文の凄みというものを分かってもらえると、その作品の全体の良さも推し量ることができるというものです。

今回は私がいいと思った作品、とりわけ冒頭に惹きつけられた作品を百作集めてみました。冒頭をざっと読んでいただくことで、時間のない方でも、名作のエッセンスに触れることができるはずです。冒頭だけでは話の展開が分からないというのはごもっともです。限られた紙幅ですので今回は魂のこもった冒頭文に絞らせてもらいましたが、解説部分におよそ作品がこういうものである、とか読みどころはこういうところにある、ということをプラスして書いておきましたので、それもあわせてお読みいただければと思います。

とにもかくにも、まず作品に触れることが第一です。本書で原文に触れ、それをきっかけに文庫本などで手に取り、カフェなどで読んでみる。そうすると、今日という日が失われた一日にならなくてよかったと思えるのです。私は「名文を一行も読まなかった日は失われた一日と思うがよい！」というような格言さえ残したいほどです。

最後まで読めない作品があってもあまり気にしないでください。冒頭文を読んだだけでも作品の雰囲気はわかったと感じてもらえるほうがよいと私は考えています。作家というのは切れば血が出るような文体で書いています。実際の原文に触れていただくことが一番ですので、ぜひ本書をめくって、魂のこもった冒頭文を次から次へとお楽しみください。

二〇二一年十月

齋藤　孝

目次

はじめに 2

第1章 これだけは読んでおきたい！最高に面白い日本の近代文学の名作

夏目漱石『坊っちゃん』 12
森鷗外『高瀬舟』 14
二葉亭四迷『浮雲』 16
幸田露伴『五重塔』 18
樋口一葉『たけくらべ』 20
島崎藤村『夜明け前』 22
芥川龍之介『鼻』 24
中島敦『山月記』 26
折口信夫『死者の書』 28
川端康成『雪国』 30

第2章 僕らの好きな日本の現代文学の名作

太宰治『走れメロス』 34
井伏鱒二『山椒魚』 36
内田百閒『ノラや』 38
三島由紀夫『金閣寺』 40
星新一『きまぐれロボット』 42
野坂昭如『火垂るの墓』 44
井上ひさし『吉里吉里人』 46
藤沢周平『蟬しぐれ』 48
村上春樹『１Ｑ８４』 50
又吉直樹『火花』 52

第3章
読めば読むほどどんどん教養が高まる日本の古典文学の名作

太安万侶撰『古事記』……56
『万葉集』……58
紫式部『源氏物語』……60
紀貫之『土佐日記』……62
清少納言『枕草子』……64
『平家物語』……66
『太平記』……68
兼好法師『徒然草』……70
井原西鶴『好色一代男』……72
近松門左衛門『曾根崎心中』……74

第4章
日本&世界「知のレジェンド」からのメッセージ 自伝・遺書・手紙・評伝の傑作

新井白石『折たく柴の記』……78
福澤諭吉『福翁自伝』……80
吉田松陰『留魂録』……82
坂本龍馬『龍馬の手紙』……84
勝海舟『氷川清話』……86
石光真人編著『ある明治人の記録――会津人柴五郎の遺書』……88
湯川秀樹『旅人――ある物理学者の回想』……90
美輪明宏『紫の履歴書』……92
シュリーマン『古代への情熱――シュリーマン自伝』……94
フランクリン『フランクリン自伝』……96

第5章 共感しながら読むと心に響く「日本及び日本人」論の歴史的名著

菅原孝標女『更級日記』……100
山本常朝『葉隠』……102
宮本武蔵『五輪書』……104
佐藤一斎『言志四録』……106
九鬼周造『「いき」の構造』……108
新渡戸稲造『武士道』……110
谷崎潤一郎『陰翳礼讃』……112
坂口安吾『日本文化私観』……114
柳田國男『遠野物語』……116
宮本常一『忘れられた日本人』……118

第6章 アイデンティティを確立してくれる! 東洋の精神文化VS.西洋の思想の名著

孔子『論語』……122
老子『老子』……124
司馬遷『史記』……126
ゴータマ・ブッダ『ブッダのことば——スッタニパータ』……128
孫武『孫子』……130
洪自誠撰『菜根譚』……132
『新約聖書』……134
デカルト『方法序説』……136
エッカーマン『ゲーテとの対話』……138
ニーチェ『この人を見よ』……140

第7章 別の読み方でも、読み直してみたい！児童文学の名作

中勘助『銀の匙』……144
宮沢賢治『銀河鉄道の夜』……146
豊田正子『新編 綴方教室』……148
壺井栄『二十四の瞳』……150
アンデルセン『みにくいあひるの子』……152
モンゴメリー『赤毛のアン』……154
ヨハンナ・シュピリ『ハイジ』……156
スウィフト『ガリヴァー旅行記』……158
デフォー『ロビンソン・クルーソー』……160
サン＝テグジュペリ『星の王子さま』……162

第8章 文化・芸術から人文・社会・自然科学まで、探究心をぐいぐい追究するための名著

世阿弥『風姿花伝』……166
唯円『歎異抄』……168
小林一茶『おらが春』……170
貝原益軒『養生訓』……172
与謝野晶子『みだれ髪』……174
渋沢栄一『論語と算盤』……176
西田幾多郎『善の研究』……178
古今亭志ん生『なめくじ艦隊──志ん生半世紀』……180
『魏志倭人伝』……182
ルソー『社会契約論』……184

第9章 紀行文・時代小説・ミステリから総合小説まで 繰り返し読みたくなる傑作エンタメの名著

松尾芭蕉『おくのほそ道』……188
十返舎一九『東海道中膝栗毛』……190
山本周五郎『さぶ』……192
司馬遼太郎『世に棲む日日』……194
サリンジャー『ライ麦畑でつかまえて』『キャッチャー・イン・ザ・ライ』……196
チャンドラー『ロング・グッドバイ』……198
セルバンテス『ドン・キホーテ』……200
トルストイ『アンナ・カレーニナ』……202
ドストエフスキー『カラマーゾフの兄弟』……204
ガルシア=マルケス『百年の孤独』……206

第10章 戦争を知らない親子でも、ともに語り合いたい「あの時代」のリアルを描いた名著

吉田満『戦艦大和ノ最期』……210
吉村昭『戦艦武蔵』……212
大岡昇平『レイテ戦記』……214
林尹夫『わがいのち月明に燃ゆ』……216
梯久美子『散るぞ悲しき——硫黄島総指揮官・栗林忠道』……218
原民喜『夏の花』……220
戸部良一他『失敗の本質——日本軍の組織論的研究』……222
半藤一利『日本のいちばん長い日〈決定版〉』……224
アンネ・フランク『アンネの日記』……226
フランクル『夜と霧——ドイツ強制収容所の体験記録』……228

おわりに 230

第1章

これだけは読んでおきたい！最高に面白い日本の近代文学の名作

夏目漱石《なつめそうせき》

『坊《ぼ》っちゃん』

（岩波文庫、一九二九年／改版一九八九年）

テンポ良い会話で読みやすい文章
四国・松山が舞台の青春痛快小説

親譲りの無鉄砲《むてっぽう》で小供の時から損ばかりしている。小学校にいる時分《じぶん》学校の二階から飛び降りて一週間ほど腰を抜かした事がある。なぜそんな無闇《むやみ》をしたと聞く人があるかも知れぬ。別段深い理由でもない。新築の二階から首を出していたら、同級生の一人が冗談に、いくら威張《いば》っても、そこから飛び降りる事は出来まい。弱虫やーい。と囃《はや》したからである。小使《こづかい》に負《お》ぶさって帰って来た時、おやじが大きな眼《め》をして二階位から飛び降りて腰を抜かす奴《やつ》があるかといったから、この次は抜かさずに飛んで見せますと答えた。

ポイント解説

本書の冒頭を飾るのは、夏目漱石の『坊っちゃん』です。この冒頭文、どこかで一度は目にしたことがあるのではないでしょうか。とてもテンポが良くて読みやすい文章ですね。

ほかにも、漱石の名作には冒頭文がすばらしい作品がたくさんあります。『吾輩は猫である』の最初の文は『坊っちゃん』以上に有名ですね。

「吾輩は猫である。名前はまだない。どこで生れたか頓《とん》と見当がつかぬ。何でも薄暗いじめじめした所でニャーニャー泣いていた事だけは記憶している。」（岩波文庫、一九三八年／改版一九九〇年）

続いて紹介するのは『草枕』の冒頭です。私も子供の頃から暗唱できるほどくり返し読んだ名文です。

「山路《やまみち》を登りながら、こう考えた。智《ち》に働けば角《かど》が立つ。情《じょう》に棹《さお》させば流される。意地を通せば窮屈だ。とかくに人の世は住みにくい。住みにくさが高《こう》じると、安い所へ引き越したくなる。どこへ越しても住みにくいと悟った時、詩が生れて、画《え》が出来る。」（岩波文庫、一九二九年／改版一九九〇年）

うんちく

夏目漱石（本名・夏目金之助《きんのすけ》）は明治維新直前の一八六七年（慶応三）に江戸牛込《うしごめ》（現・東京都新宿区）で生まれて、一九一六年（大正五）に亡くなりました（享年四十九）。彼は明治をまるごと生きたので、作品にはその時代のリアルな体験が息づいています。たとえば、漱石は「当て字」をよく使いました。『坊っちゃん』の当て字には、一寸《ちょっと》、焼餅《やきもち》、屹度《きっと》、可成《なるべく》、矢鱈《やたら》、八釜《やかま》しい、などがあります。これらはいまでも年配の方は使っていますが、現在使うと違和感があるので使わないのが無難です。その当時は、漢字とは自由に使っていいものだと考えられていたのでした。「それがあの飄逸《ひょういつ》な内容にしっくり当て篏《は》まって、俳味と禅味とを補っていた」（谷崎潤一郎「文章読本」『陰翳礼讃・文章読本』新潮文庫、二〇一六年）のです。

漱石の文壇デビューは四十近くでした。イギリスへ留学して英文学を研究してから、帰国後に最初の作品『吾輩は猫である』を発表したのは三十八歳でした。英文学者夏目金之助ではなく、小説家夏目漱石として、自分の鶴嘴《つるはし》でがちりと鉱脈を掘り当てたのです。

前半生の『吾輩は猫である』、『坊っちゃん』のような風刺や反発精神の横溢《おういつ》した作品から、『それから』、『門』、『明暗』と後半生の漱石の文学的テーマは終生「近代的な自我」の追求へと変わります。

漱石の第一の功績は、日本語の話し言葉に近い書き言葉を開発し普及させたことです。これを言文一致体と言います。漱石、谷崎、志賀、川端、三島、村上春樹……など、名を連ねただけで気の遠くなるような作家のノーベル文学賞級の作品群を、私たちは母語で読める幸福感を今一度噛みしめてみたいものです。

森鷗外《もりおうがい》

『高瀬舟《たかせぶね》』

（『山椒大夫・高瀬舟 他四篇』岩波文庫、一九三八年／改版二〇〇二年）

近代日本のエリート官僚にして文豪
教養溢れる文章は、現代人には少し難しい

高瀬舟《たかせぶね》は京都の高瀬川を上下する小舟である。徳川時代に京都の罪人が遠島《えんとう》を申し渡されると、本人の親類が牢屋敷《ろうやしき》へ呼び出されて、そこで暇乞《いとまごい》をすることを許された。それから罪人は高瀬舟に載せられて、大阪へ廻されることであった。それを護送するのは、京都町奉行の配下にいる同心で、この同心は罪人の親類の中で、主立《おもだ》った一人《いちにん》を大阪まで同船させることを許す慣例であった。これは上《かみ》へ通った事ではないが、いわゆる大目に見るのであった。黙許であった。

ポイント解説

弟殺しの罪で島流しにされる主人公・喜助と、喜助を護送する役目を負った同心《どうしん》・羽田庄兵衛を乗せた高瀬舟の上で語られる喜助の身の上話から、やがて弟に手をかけた事情が明らかにされます。引用した冒頭文からも、鷗外作品の格調高い文章の一端を味わっていただけると思います。

うんちく

森林太郎《りんたろう》（鷗外は雅号《がごう》）は幕末の一八六二年（文久二）に石見国津和野《いわみのくにつわの》（現・島根県津和野町）に生まれました。家は代々御典医《ごてんい》（藩主付きの医師）でしたが、家政上の不始末により家が断絶となり、のちに父親とともに十歳の鷗外も上京して向島《むこうじま》に住み、東大医学部を卒業して二十代でドイツへ留学します。

鷗外は近代日本の屋台骨を担ったエリート官僚でした。陸軍軍医総監までのぼりつめているので、医者としては出世を極めたと言えるでしょう。彼は日本の多様な文化的伝統に通じると同時に、ヨーロッパ世界と対等に対話しうる教養を持った知的巨人です。

ドイツから帰国後に発表した『舞姫《まいひめ》』のドラマの背景にあるのが、鷗外が名家の長男として受けた圧力です。相手の女性エリスの立場からすれば、なんともならない愚図男《ぐずおとこ》ですが、明治時代の家と陸軍という社会制度のしがらみには強力なものがあったのでした。それだけに鷗外が、遺言書の中で「余ハ石見人《いわみのひと》森林太郎トシテ死セント欲ス」と書いたのは印象的です。エリート官僚としての官職や鷗外という筆名を捨てたところに、鷗外の背負ってきたものの重さを感じるわけです。

鷗外は晩年に「歴史本」を集中的に上梓しています。『興津《おきつ》弥五右衛門の遺書』、『大塩平八郎』、『堺事件』、『山椒太夫《さんしょうだゆう》』などです。本作もその系列につながるものです。なお、鷗外の歴史本はいわゆる「歴史そのまま」ですから史料に基づき書かれており、「時代小説」とは別ジャンルです。

以前、芥川賞や谷崎潤一郎賞を受賞されている小説家の古井由吉《よしきち》さんと対談させていただいたとき、このようなことをおっしゃっていました。

自分が文章を書くときに調子が悪いと、「音痴」だと感じる。それを調整するためには、漱石を音読する。すると、音痴が治るのだ、と。

「鷗外ではダメなんですか？」と聞くと、「鷗外の文章はすばらしいけれど、格調高すぎる」とのことでした。たしかに鷗外の文は教養が溢れ出すぎていて、現代の私たちが活用するのは少し苦しい。あんなに高名な作家さんであっても漱石くらいのバランスがちょうどいいと聞き、漱石音読推奨派としては数少ない仲間に会えて、非常に嬉しかったです。ただ『渋江抽斎』は口語体の傑作なので、ぜひ御一読いただきたいです。

二葉亭四迷《ふたばていしめい》

『浮雲《うきぐも》』（十川信介校注、岩波文庫、二〇〇四年）

千早振《ちはやふ》る神無月《かみなづき》も最早跡二日《もはやあとふつか》の余波《なごり》となッた二十八日の午後三時頃に、神田見附《かんだみつけ》の内《うち》より塗渡《とわた》る蟻《あり》、散る蜘蛛《くも》の子とうようよぞよぞよ沸出《わきい》でて来るのはいずれも顋《おとがい》を気にし給う方々、しかし熟々《つらつら》見て篤《とく》と点検するとこれにも種々《さまざま》種類のあるもので、まず髭《ひげ》から書立《かきた》てれば口髭頬髯顋《くちひげほおひげあご》の鬚《ひげ》、暴《やけ》に興起《おや》した拿破崙髭《ナポレオンひげ》に狆《ちん》の口めいた比斯馬克髭《ビスマルクひげ》、そのほか矮鶏髭《ちゃぼひげ》、貉髭《むじなひげ》、ありやなしやの幻の髭と濃くも淡《うす》くもいろいろに生分《はえわか》る　髭に続いて差《ちが》いのあるのは服飾《みなり》　白木屋《しろきや》仕込みの黒物《くろいもの》ずくめには仏蘭西皮《フランスがわ》の靴の配偶《めおと》はありうち、これを召す方様《かたさま》の鼻毛は延びて

蜻蛉《とんぼ》をも釣るべしという　これより降《くだ》っては背皺《せじわ》によると枕詞《まくらことば》の付く「スコッチ」の背広にゴリゴリするほどの牛の毛皮靴、そこで踵《かかと》にお飾を絶《た》やさぬ所から泥に尾を曳く亀甲洋袴《かめのこズボン》、いずれも釣《つる》しんぼうの苦患《くげん》を今に脱せぬ貌付《かおつき》、デも持主は得意なもので、髭あり服あり我また奚《なに》をか覔《もと》めんと　済《すま》した顔色《がんしょく》で火をくれた木頭《もくず》と反身《そっくりかえ》ッてお帰り遊ばす　イヤお羨《い》しいことだ　その後《あと》より続いて出てなさるはいずれも胡麻塩頭《ごましおあたま》　弓と曲げても張《はり》の弱い腰に無残や空弁当《からべんとう》を振垂《ぶらさ》げてヨタヨタものでお帰りなさる

「言文一致体」という新しい文体を創造した画期的な名作——話すように書くことで、子供から大人までみんな楽しめた

ポイント解説

これが、はじめて言文一致体で書かれて日本の近代小説のはじまりを告げた作品の冒頭文です。一八八七年（明治二十）に発表され、江戸文学に親しんでいた当時の人々に新鮮な驚きを与えました。

うんちく

『牡丹灯籠《ぼたんどうろう》』は、三遊亭円朝が自分で創作した怪談落語です。死んで幽霊となった旗本の娘が、毎晩恋焦がれる若者のところに通うのですが、その時に幽霊がカランコロンと下駄を鳴らして、牡丹燈籠を掲げてやってくるという噺《はなし》です。

円朝のこの作品がなぜ重要なのかといいますと、明治時代の言文一致運動にとても重要な役割を果たしたからなのです。

言文一致運動というのは、書き言葉と話し言葉の差を縮めようという運動のことです。当時の書き言葉は非常に硬くて、感情や思想を細やかに表現するのに不便でしたから、このような革新運動が起こったのです。

二葉亭四迷が書いた『浮雲』が、言文一致運動の嚆《こう》矢《し》となり、さらに山田美妙《びみょう》が「です・ます」調、尾崎紅葉《こうよう》が「である」調を試して、だんだんと言文一致体は進化していきました。

ですから『浮雲』というのは日本文学史上においてとても重要な作品なのですが、これを書くときに二葉亭四迷が参考にしたのが、三遊亭円朝の落語の速記録でした。

当時、人気落語家だった円朝の噺を速記して、本にして出版するようになりまして、それを読んだ人々が「あ、これ読みやすいじゃないか」と思ったわけです。その一人が坪内逍遥《しょうよう》で、逍遥に薦められた二葉亭四迷が、それを参考にして小説を書いたのです。ですから、明治時代から現代にいたる日本文学の歴史は、三遊亭円朝の落語なくしては語ることができません。

幸田露伴《こうだろはん》

『五重塔《ごじゅうのとう》』

（岩波文庫、一九二七年／改版一九九四年）

露伴は「腰肚《こしはら》文化」の家元的存在
職人の心意気がぶつかり合う

木理《もくめ》美《うるわ》しき槻胴《けやきどう》、縁にはわざと赤樫《あかがし》を用ひたる岩畳《がんじょう》作《づく》りの長火鉢《ながひばち》に対《むか》ひて話し敵《がたき》もなく唯《ただ》一人、少しは淋《さび》しさうに坐《すわ》り居る三十前後の女、男のやうに立派な眉《まゆ》を何日《いつ》掃《はら》ひしか剃《そ》つたる痕《あと》の青々と、見る眼も覚むべき雨後の山の色をとどめて翠《みどり》の匂ひ一トしほ床《ゆか》しく、鼻筋つんと通り眼尻《めじり》キリリと上り、洗ひ髪をぐるぐると酷《むご》く丸《まろ》めて引裂紙《ひっさきがみ》をあしらひに一本簪《いっぽんざし》でぐいと留《とど》めを刺した色気無《いろけなし》の様《さま》はつくれど、憎いほど烏黒《まっくろ》にて艶《つや》ある髪の毛の一ト綜《ふさ》二綜《ふたふさ》後《おく》れ乱れて、浅黒いながら渋気《しぶけ》の抜けたる顔にかかれる趣きは、……

現代語訳

木目《もくめ》の美しいケヤキの胴、縁には赤樫を使い頑丈なつくりの長火鉢に向かい、話し相手もなく坐る三十歳前後の女一人、男のように立派な眉の剃り跡も青々と、黒く艶やかな色をとどめてゆかしく、鼻筋通り、目尻上がり、洗い髪をきつく丸め、一本簪《ざし》でぐいと止めた色気のないつくりだが、憎らしいほど真っ黒で艶《つや》のある数本の髪の束が、浅黒いながら渋気の抜けた顔にかかる趣は、……

ポイント解説

冒頭文に出てくる女とは棟梁《とうりょう》源太の女房お吉《きち》のことです。亭主の川越の源太は非常に気風《きっぷ》のいい棟梁で、皆に信頼される男とはどういう人物なのかが、鮮やかな大和言葉《やまとことば》で描写されています。

「十兵衛〈中略〉、力なげ首悄然《しおしお》と己れが膝に気勢《いきおい》のなきたさうなる眼を注ぎゐるに引き替へ、源太は小狗《こいぬ》を瞰下《みおろ》す猛鷲《あらわし》の風に臨んで千尺の巌《いわお》の上に立つ風情《ふぜい》、腹に十分《じゅうぶ》の強みを抱《いだ》きて、背をも屈げねば肩をも歪《ゆが》めず、すつきり端然《しゃん》と構へたる風姿《ようだい》と云ひ面貌《きりょう》といひ水際立つたる男振り、万人が万人とも好かずには居られまじき天晴《あっぱれ》小気味のよき好漢《おとこ》なり。」（同書）

「腹に十分の強みを抱き」とは気力が腹に満ちているということ。腹に力があり、しゃんと構えて、男振りも水際立っている川越の源太に対し、弟子ののっそり十兵衛は、しおしおとし、気力のない目を下に向けているとえがかれています。二人の対比を、気力の充実で表しているのが面白いところです。

うんちく

『五重塔』は中編小説です。さすが文豪の作品だけに、読破には多少苦労するかもしれませんが、それを乗り越えた先には、深く感銘を受けるラストシーンが待っています。それはともかくこれを読むと、職人気質《かたぎ》そのものが生き方の美学になっていることが分かります。

書かれたのは明治時代のなかばですが（露伴二十五歳）、露伴は江戸時代の書物を数多く読んでいるだけあって、江戸の風情も色濃く表れています。ちなみに、舞台となった谷中《やなか》（旧下谷《したや》区、現・台東区）の感応寺《かんのうじ》は天王寺《てんのうじ》と名を変え、東京都指定史跡となっています。

幸田露伴・文父娘《あや》は、私の造語で言えば「腰肚《こしはら》文化」の家元的存在です。露伴は娘（次女）の文に拭き掃除や薪割《まきわ》りをはじめとする家事全般をたたき込みました。露伴の鍛え方は、獅子《しし》があえて谷底に突き落とす伝説のように厳しい。自分でやって見せて技を盗ませ、すぐに娘にやらせました。技を盗む意識で注意深く見ていなければ娘は怒鳴《どな》られます。体の動きの最大のコツは腰でした。体から体に腰肚を中心とする技が伝授される過程は、文の『こんなこと』（『幸田文全集 第一巻』岩波書店、一九九四年）に詳しいです。

樋口一葉《ひぐちいちよう》

『たけくらべ』

（『にごりえ・たけくらべ』岩波文庫、一九二七年／改版一九九九年）

切れ目のない流れるような文章は天性の写実力に裏打ちされている

廻れば大門《おおもん》の見返り柳いと長けれど、お歯《は》ぐろ溝《どぶ》に燈火《ともしび》うつる三階《さんがい》の騒ぎも手に取る如く、明けくれなしの車の行来にはかり知られぬ全盛をうらなひて、大音寺前《だいおんじまえ》と名は仏くさけれど、さりとは陽気の町と住みたる人の申《もうし》き、三嶋神社《みしまさま》の角をまがりてより是《こ》れぞと見ゆる大厦《いえ》もなく、かたぶく軒端の十軒長屋二十軒長や、商ひはかつふつ利かぬ処とて半《なかば》さしたる雨戸の外に、あやしき形《なり》に紙を切りなして、胡粉《ごふん》ぬりくり彩《さい》色《しき》のある田楽みるやう、裏にはりたる串のさまもをかし、……

現代語訳

表通りを回ると大門の見返り柳まで遠いが、吉原遊《よしわらゆう》郭《かく》（公許の遊郭）を囲うお歯黒溝に店の灯が映り、三階の騒ぎが手にとるよう、昼夜なしの人力車の往来に繁盛も窺えて、大音寺前と名前は仏くさいが陽気な町だと住む人は言う。三島神社の角を曲がると目立つ家もなく貧しげな長屋がつづき、商売は駄目《だめ》なところとて昼から半ば閉ざした雨戸の外に、妙な形に紙を切り胡粉《ごふん》で彩色したものを吊るしているのは田楽のようでおかしい。

ポイント解説

『たけくらべ』は、東京の下町を舞台に子供同士の世界を描いた作品です。美登利《みどり》と信如《しんにょ》の結ばれぬ淡い恋が、水仙の一輪ざしに象徴されています。冒頭文を読むと分かるように、読点でどこまでも引っ張っていき、一文がとても長く、音読していると自然にリズムがついてきて歌のようになるのです。一葉がさすが天才と言われるゆえんです。音読に最適な名作です。

うんちく

樋口一葉は、二十四年の生涯のうち、死の直前の一年半ほどの間に、今に残る主な作品を一気に書きました（小説は二十二編）。このような文章を書く人はもう出現しえないことを思うと、いよいよ声に出して味読したくなります。

樋口一葉の文章は、当時としても古い言葉遣い（擬古文《ぎこぶん》）で、喧嘩の場面でも江戸っ子のようなやり取りがあったり、古文とはまた違う風情があります。現代の小説はストーリーや構成が巧みなものが多いですが、昔の小説は、より作者の気迫《きはく》が伝わるような文章が多いです。一葉は、家長として苦労をした人でもあるので、気のたくましさが文章に溢れ出ているところも読みどころです。

「貧《ひん》すれば鈍《どん》する」という言葉がありますが、樋口一葉には「貧するほどに鋭さを増す」気概と才能がありました。母と妹との女三人の暮らしになり、一家が衰《すい》運《うん》に傾く過程で、一葉は和歌修業のため上流階級の子女が多く集まる「萩《はぎ》の舎《や》」に入門しましたが、令嬢たちの生活水準にひけめを感じていました。

一葉の切れ目のない流れるような文章は、天性の写実力に裏打ちされています。「秋の新仁和賀《しんにわか》には十分間に車の飛ぶ事此通りのみにて七十五輛《りょう》と数へしも」（同書）などといった描写には、一葉自身が花街《はなまち》吉原の裏手の下谷竜泉寺《したやりゅうせんじ》町で荒物《あらもの》屋を営んでいた時代に鍛えられた写実力が生きています。若い素人の女性が、蔑視《べっし》への怒りともどかしさを秘めながら冷静に色街《いろまち》を写実する文章に世間は瞠目《どうもく》したに違いありません。一葉の文章は独特のリズムですが、馴れてくると、これが走《そう》馬灯《まとう》のようで心地いいと感ずるのではないでしょうか。

島崎藤村《しまざきとうそん》

『夜明《よあ》け前《まえ》』

（新潮文庫、全四巻、一九五四年／改版二〇一二年）

父親をモデルにした名作『夜明け前』
藤村は日本の近代文学を切り拓いた先駆者

木曽路《きそじ》はすべて山の中である。あるところは岨《そば》づたいに行く崖《がけ》の道であり、あるところは数十間の深さに臨む木曽川の岸であり、あるところは山の尾をめぐる谷の入口である。一筋の街道はこの深い森林地帯を貫いていた。

ポイント解説

『夜明け前』の冒頭は、とりわけ名文として知られています。この短い文章だけで、舞台となった木曽路の情景がありありと目に浮かんできます。

主人公の青山半蔵《はんぞう》は、藤村の父がモデルとなっています。藤村の父正樹《まさき》は明治維新の大変革期に人生を送ります。

中山道《なかせんどう》の要衝馬籠《まごめ》（旧木曽馬籠宿、現・岐阜県中津川市）宿の本陣《ほんじん》・庄屋《しょうや》・問屋《といや》を兼ねた旧家の当主です。正樹は平田（篤胤《あつたね》）派の国学者でしたが、維新の時流から取り残され、家産は傾き、座敷牢《ざしきろう》で狂死しています。

うんちく

藤村の『破戒《はかい》』も冒頭文が名文なので紹介します。

「蓮華寺《れんげじ》では下宿を兼ねた。瀬川丑松《せがわうしまつ》が急に転宿《やどがえ》を思い立って、借りることにした部屋というのは、その蔵裏《くり》つづきにある二階の角のところ。寺は信州下水内《しもみのち》郡《ごおり》飯山町《いいやままち》二十何カ寺の一つ、真宗に附属する古刹《こさつ》で、丁度その二階の窓に倚凭《よりかか》って眺めると、銀杏《いちょう》の大木を経《へだ》てて飯山の町の一部分も見える。さすが信州第一の仏教の地、古代を眼前《めのまえ》に見るような小都会、奇異な北国風の屋造《やづくり》、板葺《いたぶき》の屋根、または冬期の雪除《ゆきよけ》として使用する特別の軒庇《のきびさし》から、ところどころに高く顕《あらわ》れた寺院と樹木の梢《こずえ》まで――すべて旧《ふる》めかしい町の光景《ありさま》が香の烟《けぶり》の中に包まれて見える。」（新潮文庫、一九五四年／改版二〇〇五年）

『破戒』の主人公は教員の瀬川丑松《うしまつ》です。丑松は社会からの差別に直面します。丑松は自我に目覚め、父親の戒めを破ってしまいます。この『破戒』という作品自体に差別的な観点があるという批判がなされ、藤村はのちに改訂を行いました。このへんの事情については、新潮文庫版『破戒』に所収されている北小路健『『破戒』と差別問題』に詳しいです。

藤村には名詩もたくさんあります。

「初恋」

「まだあげ初《そ》めし前髪《まへがみ》の　林檎《りんご》のもとに見えしとき前にさしたる花櫛《はなぐし》の　花ある君と思ひけり」（『藤村詩集』新潮文庫、一九六八年）

「千曲川旅情の歌」

「小諸《こもろ》なる古城のほとり　雲白く遊子《ゆうし》悲しむ　緑なす蘩蔞《はこべ》は萌《も》えず　若草も藉《し》くによしなし　しろがねの衾《ふすま》の岡辺　日に溶《と》けて淡雪《あわゆき》流る」（同前）

藤村の文壇デビューは、詩人としてでした。「千曲川旅情の歌」は、「初恋」が入っている第一詩集『若菜集』（一八九七年・明治三十年）ではなく、第四詩集『落梅集』（一九〇一年・明治三十四年）に入っています。

早春の頃であるのに、いまだはこべ、若草と、野に満つる香りは見あたりません。その早すぎる春を悲しんでいます。『若菜集』の燃え立つような青春の息吹《いぶき》にくらべると、二十代の終わりの藤村は落ち着きがでて、濁《にご》り酒（どぶろく）を一人呑むほどにシブくなっています。この頃藤村は、長野県の小諸義塾で教師として七年間を過ごしました。

詩から散文へ転じた藤村は、『夜明け前』、『東方《とうほう》の門』と大作を発表し、文壇の重鎮《じゅうちん》となります。

芥川龍之介《あくたがわりゅうのすけ》

『鼻《はな》』

（『羅生門《らしょうもん》・鼻・芋粥《いもがゆ》・偸盗《ちゅうとう》』岩波文庫、一九六〇年／改版二〇〇二年）

知的で神経過敏な小説家のイメージを体現
遅れてきた小説家・芥川の悩み

禅智内供《ぜんちないぐ》の鼻といえば、池《いけ》の尾《お》で知らない者はない。長さは五、六寸あって、上唇の上から顋《あご》の下まで下っている。形は元も先も同じように太い。いわば細長い腸詰めのような物が、ぶらりと顔のまん中からぶら下っているのである。

ポイント解説

『鼻』は、ユーモラスな作品です。冒頭文にあるように、とてつもなく長い鼻をもった僧侶が鼻をもてあまし、短くしようとするものがたりですが、中心テーマは自尊心です。

主人公の禅地内供《ぜんちないぐ》は人の眼を気にします。長い鼻をじろじろ見られ続ければそれも仕方がないかもしれません。しかし何年たっても自分の鼻の長さを受け入れ、肚《はら》を据えることができません。その肚の据わらなさが面白いのです。鼻を気にしているのに、気にしていることを人に気づかれないように努力までしています。

芥川龍之介は『今昔物語《こんじゃくものがたり》』など日本の古典文学を素材にして、西洋的な知性という鋭い包丁さばきで、みごとな料理を仕上げました。そしてその料理は、胃にもたれるほどの大作ではなく、多くがさっと食べることができてしかも味わい深い短編でした。本を読み慣れていない人にとっては、短編はありがたいものです。集中力が切れる前に話の結末が来るからです。今でも多くの日本人が楽しむことができる質の高い短編を、これほどたくさん残してくれた芥川はやはり素晴らしいと思います。

うんちく

冒頭文とは別の箇所にこんなことが書いてあります。ある時弟子の僧が知り合いの医者から鼻を短くする方法を教わってきました。それは鼻を茹《ゆ》でて人に踏ませるというやり方で、試してみるとあら不思議、鼻は短くなってきました。鼻は前よりもずっと短くなったのですが、意外なことに他の者たちはその禅智内供を以前よりもずっと笑うようになったのです。なぜでしょうか？

人の心には、他人の不幸に同情するとともに、他人の不幸を喜ぶところがあるからです。

この話のもう一つのテーマは、他人の不幸に対する人間の矛盾《むじゅん》した二つの感情です。他人の不幸に同情する一方で、その不幸がなくなると何となく物足りない感じがしてしまう。

そうした人間のせこさを芥川はえがいています。この観点からすれば、内供はそれほどおかしな人物ではありません。他人の不幸を望むせこい人間たちの視線に反応してしまう素直な人間です。鼻を短くしようとするのも、鼻が元どおりになってホッとするのも、すべてはこうした他人の不幸を喜ぶ人々の視線のためですから。

不毛《ふもう》な努力のようですが、これは誰にでも心当たりがあることです。自分にとっての「鼻」に当たるものが何なのかを考えてみると面白い。体の一部だったり、過去の失敗だったり、境遇だったりするかもしれません。

最後に芥川龍之介についてひとこと。

芥川といえば、秀《ひい》でた額《ひたい》に鋭い眼、親指と人差し指で細い顎をささえ思索に耽《ふけ》るその風貌は、知的で神経過敏な小説家のイメージそのものです。芥川は一八九二年（明治二十五）生まれです。実は、漱石《そうせき》や鷗外《おうがい》や露伴《ろはん》ら明治維新前後の生まれの小説家とのあいだにある、二十数年の世代差が意外と大きな意味を持っているのです。「遅れて来た青年」芥川龍之介の体の線の細さは、いわゆる「腰肚《こしはら》文化」が衰退してゆく日本の運命を先取りしていたと言えるのではないでしょうか。

中島敦《なかじまあつし》

『山月記《さんげつき》』

（『李陵《りりょう》・山月記』新潮文庫、一九六九年／改版二〇〇三年）

語彙《ごい》と含蓄《がんちく》に富んでいる作品
素読《そどく》からはじめればとっつきやすい

隴西《ろうさい》の李徴《りちょう》は博学才穎《さいえい》、天宝《てんぽう》の末年、若くして名を虎榜《こぼう》に連ね、ついで江南尉《こうなんい》に補せられたが、性、狷介《けんかい》、自ら恃《たの》むところ頗《すこぶ》る厚く、賤吏《せんり》に甘んずるを潔《いさぎよ》しとしなかった。

ポイント解説

冒頭文にあるように、主人公の李徴《りちょう》は子供の頃から秀才のほまれが高い人物でした。長じて役人（地方行政官）になりますが、自分ほどの人物が一介の役人でいることなど、とてもプライドが許しません。そこで詩人として自分の名前を後世に残そうと役人を辞めてしまいます。

中島敦は、主人公の李徴にこう語らせます。

「事実は、才能の不足を暴露《ばくろ》するかも知れないとの卑《ひ》怯《きょう》な危惧《きぐ》と、刻苦を厭《いと》う怠惰《たいだ》とが己の凡《すべ》てだったのだ。」

結局、李徴は才能があったもののプライドが高すぎて、自分の実力が外にさらされるのをおそれていました。そして勝負をせずに、プライドばかり膨張させていたために、虎という化け物になってしまったのです。

「臆病なプライドと尊大な自尊心」だと心のなかに虎が住むことになるよ——これは中島敦が日本人に贈った最大のプレゼントです。

うんちく

中島敦には『名人伝』という名作もあります。冒頭文は以下の通りです。

「趙《ちょう》の邯鄲《かんたん》の都に住む紀昌《きしょう》という男が、天下第一の弓の名人になろうと志を立てた。己《おのれ》の師《し》と頼むべき人物を物色するに、当今《とうこん》弓矢をとっては、名手・飛衛《ひえい》に及ぶ者があろうとは思われぬ。百歩を隔てて柳葉を射るに百発百中するという達人だそうである。紀昌は遥々《はるばる》飛衛をたずねてその門に入った。飛衛は新入《しんいり》の門人に、先ず瞬《まばた》きせざることを学べと命じた。」（同書）

天下一の弓の名人になろうとした紀昌《きしょう》が弟子入りした師匠が、弓を射る前に眼の基礎トレーニングを命じられるところから『名人伝』ははじまります。紀昌は眼のトレーニングを五年ばかりやり、奥義秘伝の域に達しましたが、師匠は霍山《かくざん》に居る老師についてさらにトレーニングするよう伝えました。紀昌はそれに従い老師に教えを乞いに行きました。老師は「弓矢の要るうちはまだまだ。何も持たず素手《すで》のまま」でこうして鳥を撃《う》つのだと言って弓矢を射る真似をすると、鳥は石のように落ちてきました。この老師の許で毎日七年間修業して不射之射の奥義を授けられ、射術の名手になるには十二年間かかりました。

『名人伝』は、一見難しい文章のようですが、話の筋は小学生でも楽しめるぐらい面白い。漢文調なのに爆笑できる名作です。

文庫版で十ページ足らずなので、ぜひ本を買って読んでほしい。『山月記』でおさらいをしてから『名人伝』へ進むといいでしょう。

「中島敦、好きなんです」と私が言うと、「実は私も」と答える人が少なくありません。高校の国語教科書では『山月記』の記憶しかない、という人もけっこういます。日本には膨大な数の中島敦ファンが静かに生息していると私はにらんでいます。日本文は、柔らかい大和言葉《やまとことば》と堅い漢熟語の組み合わせが持ち味です。漢文体は練習しないと身に付きません。中島の文章は、最高の練習メニューなのです。

ちなみに小学生にも中島敦の『名人伝』は大受けで、漢字が多いのがいいという意見もありました。

折口信夫《おりくちしのぶ》

『死《し》者《しゃ》の書《しょ》』

（『死者の書・口ぶえ』岩波文庫、二〇一〇年）

比類のない言語感覚、不思議な筋立て
天皇になれずに斬殺された大津皇子《おおつのみこ》の物語

彼《か》の人の眠りは、徐《しず》かに覚めて行った。まっ黒い夜の中に、更《さら》に冷え圧するものの澱《よど》んでいるなかに、目のあいて来るのを、覚えたのである。

したした　した。耳に伝うように来るのは、水の垂れる音か。ただ凍りつくような暗闇の中で、おのずと睫《まつげ》と睫とが離れて来る。

膝が、肘《ひじ》が、徐《おもむ》ろに埋れていた感覚をとり戻して来るらしく、彼《か》の人《ひと》の頭に響いて居るもの――。全身にこわばった筋が、僅《わず》かな響きを立てて、掌《たなそこ》・足の裏に到るまで、ひきつれを起しかけているのだ。

そうして、なお深い闇。ぽっちりと目をあいて見廻す瞳に、まず圧《あっ》しかかる黒い巌《いわお》の天井を意識した。次いで、氷になった岩牀《いわどこ》。両脇に垂れさがる荒石の壁。したしたと、岩《いわ》伝《づた》う雫《しずく》の音。

時がたった――。眠りの深さが、はじめて頭に浮んで来る。長い眠りであった。けれども亦《また》、浅い夢ばかりを見続けて居た気がする。うつらうつら思っていた考えが、現実に繋《つな》って、ありありと、目に沁みついているようである。

ポイント解説

冒頭文を読めば分かるように、『死者の書』はとても変わった小説です。持統《じとう》天皇によって謀反《むほん》の名のもとに処刑された大津皇子《おおつのみこ》（天武天皇の子）の魂が古墳の闇から復活し、藤原郎女《ふじわらのいらつめ》と交感するという物語です。

不思議な筋立てですが、文体はほかにはないもので、一つひとつの文章が現代の日本語ではないような作り方がしてあります。折口には、古代研究という下地があって、古代の言葉から推測され実感される、古代人の心性、いわば古想念というものが根元にあります。

大津皇子のこの世に残された怨念《おんねん》が、非常に強かった。煙になって空に舞い上がっていかずに、地に埋められた。その地の底から、怨念が湧き上がってくる。そんなイメージが綴られていきます。

うんちく

『死者の書』は冒頭文のほかにも読みどころがありますので紹介しましょう。

「おれの名は、誰も伝えるものがない。おれすら忘れて居た。長く久しく、おれ自身にすら忘れられて居たのだ。可愛《いと》しいおれの名は、そうだ。語り伝える子があった筈《はず》だ。語り伝えさせる筈の語部《かたりべ》も、出来て居たろうに。――なぜか、おれの心は寂しい。空虚な感じが、しくしくとこの胸を刺すようだ。〈中略〉耳面刀自《みみものとじ》。おれには、子がない。子がなくなった。おれは、その栄えている世の中には、跡を貽《のこ》して来なかった。子を生んでくれ、おれの子を。おれの名を語り伝える子どもを――。」

切断された手足がまだあるかのように感じるのを幻《げん》影肢《えいし》といいますが、「骨の上に、鋭い感覚ばかりが活きてゐる」というのは、肉体は失われているのに感覚だけが残っているという状態です。

思いを託す子供がいない。思いを語り伝えることができなかった。名前は自分のアイデンティティであり、受け継がれていくものの象徴です。名を継ぐ、家名を継ぐおれの子を生んでくれ、という叫びは哀しみを誘います。

川端康成《かわばたやすなり》
『雪《ゆき》国《ぐに》』（岩波文庫、一九五二年／改版二〇〇三年）

国境の長いトンネルを抜けると雪国であった。夜の底が白くなった。信号所に汽車が止まった。
向側《むこうがわ》の座席から娘が立って来て、島村《しまむら》の前のガラス窓を落した。雪の冷気が流れこんだ。

ポイント解説

最初の短い一文で情景が一気に浮かび、主人公が雪国で日常とはまったく違う世界に出会うのだろうということが予見されます。さらに、その次の「夜の底が白くなった」という一文は普通に使う日本語ではありませんが、状況をそう捉えたところに川端康成の感性がうかがえます。非常にテンポの良い、短い文章のなかで一気に情緒を伝えていく日本語力はさすがです。

　この原文とサイデンステッカー（アメリカの日本文学翻訳家）の英訳を比較した言語学者の金田一《きんだいち》春彦は、英語になると日本語のニュアンスがこぼれてしまうと指摘しています。

　そもそも「雪国」という大和言葉は、「snow country」と訳されています。「雪国」と言う時、私たちのなかには切なさや重さ、情感の深さが積もりますが、「snow country」ではたしかに薄れてしまう。非常に上手な英訳なのですが、それでも言葉がもっているニュアンスはこぼれ落ちてしまうのです。川端作品を読むと、日本語が母語でよかったなとつくづく思います。

　汽車が信号所に止まったあとの場面では、主人公と同じ汽車に乗っていた葉子という女性と駅長の会話が繰り広げられます。「駅長さん、私です、御機嫌《ごきげん》よろしゅうございます」と、葉子が声をかけるのですが、この台詞だけで性格のよい、ちゃんとした娘さんだと分かりますよね。このあとも、「よろしくお願いいたしますわ」「駅長さんもうお帰りですの？」と、語尾に「わ」や「の」をつけた優しくて上品な女性言葉が続きます。

女性ならではの表現ができることも、大和言葉の豊かな魅力のひとつです。川端作品で描かれる女性は、美しい日本語を使います。ぜひその言葉遣いに着目しつつ、読んでいただければと思います。

うんちく

私は十代の終わり頃にすっかり川端ワールドにハマってしまい、『山の音』、『古都《こと》』、『眠れる美女』などを読みまくりました。

川端康成の文章は、一つひとつの言葉が、まるで音の宝石のようです。川端の文章によってはじめて私は、美しい日本語とはどういうものかを知りました。美しい日本語には、世界を官能的に捉える川端の身体感覚が溶け込んでいました。

川端のデビュー作『伊豆《いず》の踊子』は一高に通う二十歳の「私」が主人公です。私は自分自身の性格がゆがんでいると自己嫌悪を抱いています。その憂鬱《ゆううつ》さに耐えきれずに、ふらりと伊豆の旅に出てしまうのです。旅先で私は旅芸人の踊子たちの一行と出会います。そして下田《しもだ》まで一緒に旅をします。

『伊豆の踊子』は文章が美しい作品です。冒頭の、「道がつづら折りになって、いよいよ天城峠《あまぎとうげ》に近づいたと思う頃《ころ》、雨脚《あまあし》が杉《すぎ》の密林を白く染めながら、すさまじい早さで麓《ふもと》から私を追って来た」（新潮文庫、一九五〇年／改版二〇〇三年）という文章からして、妙《たえ》なる音楽的なリズム感があります。日本語の美しさにふれ、心洗われるという点でも、読む価値がある作品です。

『伊豆の踊子』は実体験にもとづいていて、踊子との恋により心が洗われていきます。娘と別れたあと、頭が澄んだ水になり、それが涙となってぽろぽろこぼれ、しばし甘い快さにひたります。

第2章

僕らの好きな日本の現代文学の名作

太宰《だざい》 治《おさむ》

『走《はし》れメロス』

（『富嶽百景・走れメロス 他八篇』岩波文庫、一九五七年／改版一九六八年）

短文が畳み掛けるように続く切迫感 生きるのに疲れた時に音読すると効く

メロスは激怒した。必ず、かの邪知暴虐《じゃちぼうぎゃく》の王を除かなければならぬと決意した。メロスには政治がわからぬ。メロスは、村の牧人である。笛を吹き、羊と遊んで暮らして来た。けれども邪悪に対しては、人一倍に敏感であった。きょう未明メロスは村を出発し、野を越え山越え、十里はなれたこのシラクスの市にやって来た。メロスには父も、母もない。女房もない。十六の、内気な妹と二人暮らしだ。この妹は、村のある律気《りちぎ》な一牧人を、近々、花婿として迎える事になっていた。結婚式も間近かなのである。メロスは、それゆえ、花嫁の衣裳やら、祝宴のごちそうやらを買いに、はるばる市にやって来たのだ。まず、その品々を買い集め、それから都の大路をぶらぶら歩いた。メロスには竹馬の友があった。セリヌンティウスである。今はこのシラクスの市で、石工をしている。その友を、これから訪《たず》ねてみるつもりなのだ。

ポイント解説

引用した冒頭文は、この作品のあらすじともいえるものです。メロスは王様に意見をしたために、殺されることになります。でもその前に故郷の妹のために結婚式を挙げたいので、三日の猶予《ゆうよ》が欲しいと申し出ます。

王様は今ここでメロスを解放すれば、逃げてしまって二度と戻ってこないとあざわらい、メロスが戻ってくることははなから信じていません。メロスは人を信用しない王様の鼻をあかすためにも、そして快く身代わりを引き受けてくれた親友の命を救うためにも、かならず戻ることを誓って故郷の村に旅立つのです。

うんちく

さて、村へ出発したメロスは無事に妹の結婚式をすませ、町への道を急ぐのですが、途中の川が大雨で増水したり、山賊《さんぞく》に襲われたりして、時間を大幅にロスします。メロスは必死で走りますが、体力は限界をこえ、もう一歩たりとも動けなくなってきました。

「ふと耳に、潺々《せんせん》、水の流れる音が聞こえた。そっと頭をもたげ、息をのんで耳をすました。すぐ足もとで、水が流れているらしい。よろよろ起き上がって、見ると、岩の裂け目から滾々《こんこん》と、何か小さくささやきながら清水《しみず》がわき出ているのである。その泉に吸い込まれるようにメロスは身をかがめた。水を両手ですくって、一くち飲んだ。ほうと長いため息が出て、夢からさめたような気がした。歩ける。行こう。肉体の疲労回復とともに、わずかながら希望が生まれた。義務遂行の希望である。わが身を殺して、名誉を守る希望である。」

「ああ、何もかも、ばかばかしい。私は、醜い裏切り者だ。どうとも、勝手にするがよい」とくじけかけたメロスが水を飲んで復活する場面です。体の状態が悪い時には悪い考えも起こりやすいもので、私の場合、人生がむなしく感じられるのは、たいがい空腹時です。まわりの人間に否定的になるのは眠い時です。

『走れメロス』は音読に向いています。生きるのに疲れてなにもかも投げ出したくなったら、この名作を音読してみるとよいでしょう。落ち込んでいても、心が復活して、なんだか元気が湧いてくるのです。

太宰治は『晩年』、『斜陽』などの名作を発表し流行作家になりましたが、『人間失格』を発表した一九四八年（昭和二十三）に玉川上水で入水自殺を遂げました。

秀逸なユーモア感覚があふれる名作
「サヨナラ」ダケガ人生ダ、も井伏の名訳

井伏鱒二《いぶせますじ》

『山椒魚《さんしょううお》』

（新潮文庫、一九四八年／改版二〇一一年）

山椒魚《さんしょううお》は悲しんだ。

彼は彼の棲家《すみか》である岩屋から外に出てみようとしたのであるが、頭が出口につかえて外に出ることができなかったのである。今はもはや、彼にとっては永遠の棲家である岩屋は、出入口のところがそんなに狭かった。そして、ほの暗かった。強《し》いて出て行こうとこころみると、彼の頭は出入口を塞《ふさ》ぐコロップの栓《せん》となるにすぎなくて、それはまる二年の間に彼の体が発育した証拠にこそはなったが、彼を狼狽《ろうばい》させ且《か》つ悲しませるには十分であったのだ。

「何たる失策であることか！」

ポイント解説

いわゆる「動物モノ」は子供に強いです。この短編小説のおかげで、不気味で不格好な山椒魚の印象は今も強く残っています。行きづまり状況なのに、おかしみがあります。

冒頭文を見ると、文体は、「彼は彼の棲家である岩屋から」といった直訳調をわざと使っています。その気取った文体が山椒魚に不釣り合いで、かえっておかしみを誘います。「しまった」ではなく「何たる失策であることか！」と大げさに文語体で言うところも良いです。

このあと、山椒魚は泳ぎまわってみますが、狭すぎてからだに岩壁の苔《こけ》がつくばかりでした。

「彼は深い歎息《たんそく》をもらしたが、あたかも一つの決心がついたかのごとく呟《つぶや》いた。『いよいよ出られないという

ならば、俺《おれ》にも相当な考えがあるんだ』」

おおっ何があるんだと思って次の行を読むと、「しかし彼に何一つとしてうまい考えがある道理はなかったのである」となっていて、こちらも力が抜けます。

井伏によれば、『山椒魚』は、チェーホフの『賭《か》け』に影響を受けて、「悟りにはいろうとして、はいれなかったところを書きたかった」作品ということです。田舎から出てきた青年たちが都会で「思ひを屈し」て、行き場のない暗い自意識を開放しきれない状態がテーマとも読めます。

とはいえ、主人公が山椒魚ではとうてい深刻にはなりえません。この作品からも井伏のユーモア感覚が秀逸なことが読み取れます。

ちなみに、井伏鱒二の本名は、萬寿《ますじ》二です。釣りが大好きなところから鱒二という筆名にしたのだそうです。

うんちく

井伏鱒二の逸話を三つ紹介しましょう。

その一。井伏鱒二は太宰治と交流がありました。というよりも、井伏は太宰の師匠筋でした。よく世話をやいてあげたと言われています。たとえば、結婚式の仲人（いわゆる「頼まれ仲人」）も引き受けています。

その二。井伏鱒二の名訳として有名なものに、「『サヨナラ』ダケガ人生ダ」というのがあります。これは于武陵《うぶりょう》（中国唐代の詩人）の五言絶句《ごごんぜっく》『観酒《かんしゅ》』の「人生足別離」の訳とされます。「人生に別離はつきものだ」というような訳では月並みすぎますから、たしかに名訳です。この言葉がなかったら、今日まで残るインパクトは与えなかったでしょう。

その三。井伏鱒二は早稲田大学の文学部出身ですが、彼の翻訳として知られるのがヒュー・ロフティング『ドリトル先生物語』（岩波少年文庫、全十三巻、二〇〇〇年）です。これも動物モノですが、今も人気は続いているロングセラーです。

ドリトル先生は動物と話ができる獣医です。物語はスローペースで進みますが、これがまた良いのです。かつて読んだ人も再読すればまた発見があるはずです。

内田百閒《うちだひゃっけん》

『ノラや』

（内田百閒集成9、ちくま文庫、二〇〇三年）

貧乏や借金を気にしない心に余裕のある生き方――「イヤだから、イヤダ」の流儀で一生を押し通した

猫のノラがお勝手の廊下の板敷と茶の間の境目に来て坐っている。

外は夜更けのしぐれが大雨になり、トタン屋根だから軒を叩く雨の音が騒騒しい。

お膳の上は食べ残したお皿がまだその儘《まま》に散らかり、座の廻りはお酒や麦酒の罎で、うっかり起《た》てば躓《つまず》きそうである。

しかしもう箸をおいたので、後ろの柱に靠《もた》れて一服している。

その煙の尾を見てノラは坐りなおした。つまり両手にあたる前脚を突いた位置を変えたのである。

ノラは決してお膳には来ない。そのお行儀を心得ている。

ポイント解説

内田家に一大事が出来《しゅったい》します。一九三七年（昭和十二）四月十二日、愛猫ノラが突如いなくなったのです。百閒がまずやったことは「猫ヲ探ス」という新聞折り込み広告を出すことでした。しかし、手掛かりはつかめません。二回目・三回目には「薄謝三千円呈上」との広告を出しましたが、やはり手掛かりは得られず、さすがの百閒も諦めました。

『ノラや』は帰ってこないノラを思い続け、嘆き哀しむエッセイです。冒頭文のように、百閒はノラがいたころの可愛らしい様子を子細に書きましたが、かえっ

てノラの不在の悲しみが際立って感じられる名文だと思います。

うんちく

百閒には『贋作《がんさく》吾輩は猫である』という名作もあります。ここで冒頭文を紹介しましょう。

「鳥の勘公が行水を使ったり、水葵《みずあおい》を喰い散らしたりした水甕《みずがめ》におっこちて、吾輩はもう駄目だと思ったから、天樟院様の御祐筆《ごゆうひつ》の妹のお嫁に行った先のおっかさんの甥の娘だと云う二絃琴のお師匠さんの許《とこ》の三毛子の法事に聞き覚えた南無阿弥陀仏を唱えて、甍の縁を無闇にがりがり引っ掻くのを止《や》めたのだが、猫と雖《いえど》も麦酒《ビール》を飲めば酔っ払い、飲んで時がたてば酔いはさめる。」（『贋作吾輩は猫である　内田百閒集成8』ちくま文庫、二〇〇三年）

周知のように百閒は漱石の弟子でした。そこからこのパロディが生まれたのでしょうが、だいたんなタイトルには驚かされます。さすがに師漱石の衣鉢《いはつ》を継いで、動物に託して人間社会を風刺した見事な作品になっています。「寒月のヴァイオリン」など、つづきを読みたい方はどうぞ作品を手に取ってみてください。

百閒にはほかにも『東京日記』、『百鬼園随筆』、『サラサーテの盤』、『御馳走帖』、『一病息災』など読みごたえのある名作がたくさんあります。百閒の随筆の何がいいって、百閒自身のふんわかしたキャラクターです。心に余裕があって、書きっぷりも軽妙なので、借金や貧乏の話にもおかしみが感じられるのです。

内田百閒がらみの逸話を二つ紹介しましょう。

その一。一九六七年（昭和四十二）十二月一日に芸術院新会員内定の通知が届きましたが、百閒は固辞しました。「イヤだから、イヤダ」というのがその理由です。

その二。「百閒」という筆名の由来は不明ですが、その前の「百間」は故郷の岡山市内を流れる百間川《ひゃっけんがわ》にちなんだもので、六高生時代から俳号として使っていたそうです（本名栄造《えいぞう》）。

三島由紀夫《みしまゆきお》

『金閣寺《きんかくじ》』（新潮文庫、一九六〇年／改版二〇二〇年）

きらびやかな観念がふんだんに使われたこれぞ「言葉の金閣寺」――日本語の美しさを堪能でき、イメージが広がる作品

幼時から父は、私によく、金閣のことを語った。

私の生れたのは、舞鶴《まいづる》から東北の、日本海へ突き出たうらさびしい岬である。父の故郷はそこではなく、舞鶴東郊の志楽《しらく》である。懇望されて、僧籍に入り、辺鄙《へんぴ》な岬の寺の住職になり、その地で妻をもらって、私という子を設けた。〈中略〉

父の故郷は、光りのおびただしい土地であった。しかし一年のうち、十一月十二月のころには、たとえ雲一つないように見える快晴の日にも、一日に四五へんも時雨《しぐれ》が渡った。私の変りやすい心情は、この土地で養われたものではないかと思われる。

五月の夕方など、学校からかえって、叔父の家の二階の勉強部屋から、むこうの小山を見る。若葉の山腹が西日を受けて、野の只中《ただなか》に、金屏風《きんびょうぶ》を建てたように見える。それを見ると私は、金閣を想像した。

ポイント解説

一九五〇年（昭和二十五）七月、金閣寺が青年僧に放火されて全焼するという事件が起きました。その事件をモチーフにして書かれた小説が『金閣寺』です。

物語は「幼時から父は、私によく、金閣のことを語った」という一文ではじまります。主人公は父親から、

「金閣ほど美しいものは地上にない」と言われ、それを夢想しながら育ちます。やがて金閣寺の修行僧となった主人公のなかで、金閣寺はとてつもなく巨大な存在となるのです。

　主人公が女性を抱こうとする場面で、金閣の幻影が現れてきます。「又そこに金閣が出現した。というよりは、乳房が金閣に変貌したのである」、つまり金閣が現実を凌駕してしまうほどの大きな存在になってしまったのです。

　主人公は「又もや私は人生から隔てられた！」と独言します。そして、「ほとんど呪詛《じゅそ》に近い調子で、私は金閣にむかって、生れてはじめて次のように荒々しく呼びかけ」ます。

「いつかきっとお前を支配してやる。二度と私の邪魔をしに来ないように、いつかは必ずお前をわがものにしてやるぞ」

　追いつめられた主人公は、ついに金閣寺に放火するのです。実際の事件の犯人の心の中を想像し、三島独特の美意識によりきらびやかな文章で書いたことによって、奇跡的に偉大な芸術が生まれました。偉大な文化財は消失してしまいましたが、『金閣寺』という作品は文学史上に永遠に残ることになったのです。

うんちく

　この作品は、金閣寺の美に取りつかれた青年僧の心理劇です。美意識が人生をどのように突きぬいてゆくかがテーマで、三島の転換点となる作品とされています。日本語の美しさを堪能《たんのう》できる作品です。これを読むことで日本語のイメージがぐっと広がるのではないでしょうか。三島は一九七〇年（昭和四十五）割腹《かっぷく》自殺したことで敬遠されている面もありますが、そんなに敬遠されるほど狭い度量の人ではないと私は思います。

　三島由紀夫には傑作小説がたくさんありますが、エッセイにも面白いものがあります。たとえば『不道徳教育講座』（角川文庫、一九六七年／改版二〇〇八年）などは、読んでいて笑ってしまうほどの面白さです。小説では味わえない三島の側面が発見できるでしょう。

卓抜なアイデア、起承転結の見事な構成、絶妙なオチ――三十年かけて千編のショートショートを発表した奇才

星新一《ほししんいち》

『きまぐれロボット』

（角川文庫、一九七二年／改版二〇〇六年）

「これがわたしの作った、最も優秀なロボットです。なんでもできます。人間にとって、これ以上のロボットはないといえるでしょう」

と博士は、とくいげに説明した。それを聞いて、お金持ちのエヌ氏は言った。

「ぜひ、わたしに売ってくれ。じつは離れ島にある別荘で、しばらくのあいだ、ひとりで静かにすごすつもりだ。そこで使いたい」

「お売りしましょう。役に立ちますよ」〈中略〉

「これで、ゆっくり休みが楽しめる。手紙や書類はみなくてすむし、電話もかかってこない。まず、ビールでも飲むとするか」

こうつぶやくと、ロボットはすぐにビールを持ってきて、グラスについでくれた。

ポイント解説

千編もの作品を残した星新一は、「ショートショートの神様」とも呼ばれています。ここでは、表題作『きまぐれロボット』の冒頭文を紹介しました。料理のほかにもへやのそうじやピアノの調律、話し相手にもなってくれるロボットを連れて離れ島の別荘に向かったエヌ氏ですが、その後ロボットの調子が悪くなり……。オチはご自身で確かめてみてください。

うんちく

もう一つ、『新発明のマクラ』という作品の冒頭文を紹介します。

「『やれやれ、なんとか大発明が完成した』

小さな研究室のなかで、エフ博士は声をあげた。それを耳にして、おとなりの家の主人がやってきて聞いた。

『なにを発明なさったのですか。見たところ、マクラのようですが』

そばの机の上に大事そうに置いてある品は、大きさといい形といい、マクラによく似ている。

『たしかに、眠る時に頭をのせるためのものだ。しかし、ただのマクラではない』」（同書）

寝て起きるだけで英語ができるようになるマクラを発明する場面から始まります。起承転結の「起」です。せっかく発明したものの、博士は英語ができるから自分で試せない。そこでおとなりのご主人が、それなら私が試しましょうと言い出します。これが「承」です。

ところが、おとなりのご主人は英語が話せるようになりません。故障してないのにおかしいな、失敗したのかな、となります。これが「転」です。

そしてある日、おとなりのご主人の娘さんに、博士が「そのご、おとうさんはお元気かね」と声をかけます。娘さんは「このごろ、ねごとを英語で言うのよ」と答えて、「眠っているあいだの勉強が役に立つのは、やはり、眠っている時だけなのだった」というオチがつきます。これが「結」です。

このように、星新一のショートショート作品は「起・承・転・結」に沿って物語を構成する時のお手本ともいうべき、見事なつくりとなっています。

私が小学生相手の塾をやっていたときの話です。低学年の子どもたちに星新一の本を読んでもらうと、みんな大喜びしてくれるのです。わずか三ページくらいの短編ばかりなのですが、どれもほんとうに面白い。ですが、こんなに短い文章で人を驚かせるのは、実はとても難しいことなのです。こうした作品を次々に書ける技術の高さには、ただただ驚くばかりです。

野坂昭如《のさかあきゆき》

『火垂《ほた》るの墓《はか》』

（『アメリカひじき・火垂るの墓』新潮文庫、一九七二年／改版二〇〇三年）

胸に堪《こた》える「指の肉食べさしたろか」
「焼跡闇市《やけあとやみいち》派」が語る原体験「空襲と闇市」

省線三宮駅《さんのみやえき》構内浜側の、化粧タイル剝《は》げ落ちコンクリートむき出しの柱に、背中まるめてもたれかかり、床に尻《しり》をつき、両脚まっすぐ投げ出して、さんざ陽《ひ》に灼《や》かれ、一月近く体を洗わぬのに、清太の痩《や》せこけた頬《ほお》の色は、ただ青白く沈んでいて、夜になれば昂《たか》ぶる心のおごりか、山賊の如《ごと》くかがり火焚《た》き声高にののしる男のシルエットをながめ、朝には何事もなかったように学校へ向かうカーキ色に白い風呂敷《ふろしき》包みは神戸一中ランドセル背負った市立中学、県一親和松蔭《しょういん》山手ともんぺ姿ながら上はセーラー服のその襟《えり》の形を見分け、そしてひっきりなしにかたわら通り過ぎる脚の群れの、気づかねばよしふと異臭に眼《め》をおとした者は、あわててとび跳ね清太をさける、清太には眼と鼻の便所へ這《は》いずる力も、すでになかった。

ポイント解説

『火垂るの墓』はアニメ映画（野坂昭如原作、高畑《たかはた》勲《いさお》監督、一九八八年公開）にもなったので、観た方も多いでしょう。幼い女の子と十三、四歳ぐらいの男の子が焼け出され、神戸西宮《にしのみや》の満地谷《まんちだに》のそばの防空壕で暮らして、最後は飢死してしまうという悲しい話です。冒頭文には主人公・清太の死の場面が描かれています。長いですが、これで一文です。「戯作《げさく》的」とも評されれる野坂の独特な文体は、不思議なリズムを持っています。眼だけで読もうとすると、何となく流れが悪いように感じるかもしれませんが、声に出して読むと、会話と地の文との区別があまりなく、心にスッと入ってくるのです。ぜひ声に出して読んでみてください。

私は劇場ではじめてこの映画を観た時には泣きました。幼い妹が栄養失調で死んでしまうのももちろん悲しいけれど、幼い妹を父のかわり母のかわりとなって守ろうとして、一生懸命やさしく頑張るお兄ちゃんの姿に泣けるのです。少年の切ない祈りの声が聞こえてくるようですが、清太も、一か月後の九月下旬に国鉄（現・JR）三宮駅構内で死にます。栄養失調が原因とされます。

うんちく

この小説は野坂昭如自身の体験にもとづいています。「ぼくはせめて、小説『火垂るの墓』にでてくる兄ほどに、妹をかわいがってやればよかったと、今になって、その無残な骨と皮の死にざまを、くやむ気持が強く、小説中の清太に、その想いを託したのだ、ぼくはあんなにやさしくはなかった。」と野坂は書いています（「私の小説から」『朝日新聞』一九六九年二月二十七日）。

もう一つ印象的な場面をご紹介しましょう。

「横になって人形を抱き、うとうと寝入る節子をながめ、指切って血イ飲ましたらどないや、いや指一本くらいのうてもかまへん、指の肉食べさしたろか、『節子、髪うるさいやろ』髪の毛だけは生命に満ちてのびしげり、起して三つ編みにあむと、かきわける指に虱《しらみ》がふれ、『兄ちゃん、おおきに』髪をまとめると、あらためて眼窩《がんか》のくぼみが目立つ。節子はなに思ったか、手近かの石ころ二つ拾い、『兄ちゃん、どうぞ』『なんや』『御飯や、お茶もほしい？』急に元気よく『それからおからたいたんもあげましょうね』ままごとのように、土くれ石をならべ、『どうぞ、お上り、食べへんのん？』」

互いを思いやる兄妹です。それにしても「指の肉食べさしたろか」という言葉は私の胸に堪《こた》えました。

冒頭文が二つあるという奇抜さ、東北弁のルビと仕掛けは充分。井上ひさしの一大画期となる傑作ユーモア小説

井上《いのうえ》ひさし

『吉里吉里人《きりきりじん》』

（新潮文庫、全三巻、一九八五年）

第一の冒頭文

この、奇妙な、しかし考えようによってはこの上もなく真面目な、だが照明の当て具合ひとつでは信じられないほど滑稽な、また見方を変えれば呆気《あっけ》ないぐらい他愛のない、それでいて心ある人びとにはすこぶる含蓄に富んだ、その半面この国の権力を握る お偉方《えらがた》やその取巻き連中には無性に腹立たしい、一方常に材料《ねた》不足を託《かこ》つテレビや新聞や週刊誌にとってははなはだお誂《あつら》え向きの、したがって高みの見物席の弥次馬諸公にははらはらどきどきわくわくの、にもかかわらず法律学者や言語学者にはいらいらくよくよストレスノイローゼの原因《もと》になったこの事件を語り起すにあたって、いったいどこから書き始めたらよいのかと、記録係《わたし》はだいぶ迷い、かなり頭を痛め、ない智恵をずいぶん絞った。

第二の冒頭文

ある六月上旬の早朝五時四十一分、十二輛《りょう》編成の急行列車が仙台駅のひとつ上野寄りの長町駅から北へ向って、糠雨《ぬかあめ》のなかをゆっくりと動き始めた。

ポイント解説

吉里吉里人は長編小説です。このあらすじを記すのはけっこう大変なのですが、幸い著者が冒頭文で要領よくまとめているのでそれを拝借します。

「奇妙で、真面目で、滑稽で、他愛のない、それでいて含蓄に富んだ、その半面で腹立たしい、一方ではお誂え向きの、またはらはらどきどきわくわくの、にもかかわらずいらいらくよくよストレスノイローゼの原因《もと》になる事件の顛末《てんまつ》を記す。」

第一・第二の冒頭文では、吉里吉里国が日本国から分離独立したのがポイントのようです。吉里吉里国は、どこにあるのか。これは先の東日本大震災で被災地となった辺りです。

さて、最大の問題はこの独立国の憲法です。

「……吉里吉里国民は、はァ、正義《しぇーぎ》ど秩序《つつぞ》ば基調《けとー》ど為《す》る国際平和ば誠実《しぇーづつ》に希求《のんぞみ》す、国権の発動《みせびらかし》たる戦争《ドンパチ》ど、武力《ぶろぐ》さ依《よ》っかがった威嚇《おどすまんだ》又ァ武力《ぶろぐ》の行使《こーす》は、はァ、国際紛争《もめごど》ば解決《ほんどぐでだで》する手段とすては、永久《とことん》にこれば放棄《ぽい》すっと。この目的《めあて》ば達《たっ》すったため、陸海空軍、その他《ほが》の戦力は、はァ、保持《もだねーど》しない。国の交戦権は、はァ認めねえ。……美《うづぐす》しいのう。子守唄《ねろてば》の様《よ》に優《やさす》しいのう。まるでお天道様《でんとさん》だ、公明正大で、よう。そすてがらに、まんつまんつ雄々《おおす》しいのう。力強《つからづえー》い言葉だのう。皆の衆も知っての通り、俺達《おらだづ》、吉里吉里人は、この条文《くだり》ば日本国憲法がら盗んだんだっちゃ。」

沼袋老人がこう言うように、吉里吉里国の憲法は、日本国の憲法九条を盗んでいるのです。盗んだのは憲法をここで実現するためでした。

うんちく

最後に井上ひさしの逸話を二つご紹介しましょう

その一。井上ひさしは憲法改正を阻止する「九条の会」（二〇〇四年設立）の呼びかけ人のひとりでした。

その二。井上ひさしは「難しいことをやさしく、やさしいことを深く、深いことを愉快に、愉快なことをまじめに書く」を座右の銘としました。

藤沢周平《ふじさわしゅうへい》

『蟬《せみ》しぐれ』

（文春文庫、全二巻、新装版二〇一七年）

ハマりやすい「海坂藩《うなさかはん》」ものワールド　慣れてくるとそこでずっと遊び続けたい

海坂《うなさか》藩普請組《ふしんぐみ》の組屋敷には、ほかの組屋敷や足軽《あしがる》屋敷には見られない特色がひとつあった。組屋敷の裏を小川が流れていて、組の者がこの幅六尺に足りない流れを至極重宝にして使っていることである。〈中略〉

文四郎が川べりに出ると、隣家の娘ふくが物を洗っていた。

「おはよう」

と文四郎は言った。その声でふくはちらと文四郎を振りむき、膝《ひざ》をのばして頭をさげたが声は出さなかった。今度は文四郎から顔をかくすように身体《からだ》の向きを変えてうずくまった。ふくの白い顔が見えなくなり、かわりにぷくりと膨《ふく》らんだ臀《しり》がこちらにむいている。

――ふむ。

文四郎はにが笑いした。

ポイント解説

藤沢周平の代表作『蟬しぐれ』の冒頭文は、つとに誉《ほまれ》高い名文です。私が大学生の頃父親に「面白いよ」とプレゼントしたら、父は気に入ったらしく、たちまち書棚に藤沢周平本がたくさん並び壮観でした。ところで、みなさんは「海坂藩」がどこにあったのかご存じでしょうか。

海坂藩は「江戸より百二十里の彼方」の北の小藩で、

石高《こくだか》は「七万石」と初出の小説『暗殺の年輪』にありますが、実は、架空《かくう》の藩で実在しません。しかし、モデルとなったと思われる藩はあります。それは出羽国《でわのくに》荘内《しょうない》藩（石高十三万八千石）です。荘内（現・山形県鶴岡市周辺、庄内《しょうない》地方）は、『蟬しぐれ』、『隠し剣』シリーズなどいわゆる「海坂もの」の舞台となる温泉郷で、著者のふるさとです。小川のせせらぎと広やかな青い田圃《たんぼ》、これらを大らかに抱く山並み、そして一望の海、庄内の田園風景は人々を優しく包み込みます。この冒頭が素晴らしいのは、ここに文四郎（十五歳）とふく（十二歳）が登場するからです。ふたりは許嫁《いいなずけ》ではありませんが、まあそれに近い関係です。『蟬しぐれ』は恋愛が絡んだ青春長編小説です。

うんちく

ネタバレを承知であえて小説のラストを紹介します。

あれから二十余年たち、文四郎こと郡奉行《こおりぶぎょう》牧村助左衛門は四十代なかば、ふくこと殿の元側室のお福さまは四十近い。ふたりは海辺の湯宿で密会しています。お福さまはいきなり聞きます。

『文四郎さんの御子が私の子で、私の子供が文四郎さんの御子であるような道はなかったのでしょうか』〈中略〉『それが出来なかったことを、それがし、生涯の悔いとしております』『ほんとうに？』『……』『うれしい。』

お福さまの籠が湯宿を出て城に向かうのを見届けてから、「顔を上げると、さっきは気づかなかった黒松林の蟬しぐれが、耳を聾《ろう》するばかりに助左衛門をつつんで来た。〈中略〉馬腹を蹴って、助左衛門は熱い光の中に走り出た。」

大人の逢瀬《おうせ》が終わりました。かろうじてハッピーエンドなのですが、読んでいてどこか切ない気がしませんか。

蟬しぐれとは、たくさんの蟬がいっせいに泣き立てる声のことです。泣き声が大きくなったり小さくなったりするのが、まるで時雨《しぐれ》の音のようだったのでしょう。美しい響きの大和言葉《やまとことば》です。

村上春樹《むらかみはるき》

『1Q84《いちきゅうはちよん》』（新潮文庫、全六巻、二〇一二年）

タクシーのラジオは、FM放送のクラシック音楽番組を流していた。曲はヤナーチェックの『シンフォニエッタ』。渋滞に巻き込まれたタクシーの中で聴くのにうってつけの音楽とは言えないはずだ。運転手もとくに熱心にその音楽に耳を澄ませているようには見えなかった。中年の運転手は、まるで舳先《へさき》に立って不吉な潮目を読む老練な漁師のように、前方に途切れなく並んだ車の列を、ただ口を閉ざして見つめていた。青豆《あおまめ》は後部席のシートに深くもたれ、軽く目をつむって音楽を聴いていた。

音楽が効果的に使われた青豆と天吾の物語
平成時代を代表するミリオンセラー

ポイント解説

平成時代に出版された書籍の中からベスト30を選出しようと、朝日新聞が識者にアンケートを実施したところ、第一位は村上春樹『1Q84』でした。『1Q84』は、BOOK1・2が平成二十一年、翌二十二年にBOOK3が出版されています。

『1Q84』の冒頭は、青豆《あおまめ》という少女が渋滞にはまったタクシーのなかで偶然ヤナーチェックのシンフォニエッタを耳にするシーンです。村上春樹は音楽に造詣が深く、このように効果的に音楽が使われることが多いです。『ノルウェイの森』もビートルズの曲ですね。

内容は、十歳の時にギュッと手を握り合った青豆と天吾《てんご》が、その後離れ離れになるのですが、付き合ったわけでもないのに、二人ともその時の感覚や思いをずっと持ち続けていて、やがてクロスするという小説です。

「あの時に握り合った手と手の確かさを、二人はわかり合っていた」というふうに、二人はいつかどこかで互いの人生がクロスし、一緒にやっていくのだということを直感的に理解し合っています。

それからしばらく時間的な空白が続くのですが、そのうちに実際にクロスして一緒に生きていくという流れになっています。手を握ることで互いの悲しみやつらさを分かち合い、体の内側から生きるエネルギーのような温かいものがワーッと湧き上がる感じが味わえた時、互いの間で愛を感じるわけです。その時の直感が時空を隔てて再会に向かって動いていく。運命を動かして行くストーリーにいろいろな逸話が盛り込まれていますが、愛を軸にしているので、いわゆる「ハルキスト」と呼ばれるファンが一層増えて、この作品はミリオンセラーになりました。

うんちく

最後に村上春樹にまつわる逸話をいくつかご紹介しておきましょう。

その一。村上春樹は「自分が作家であることがむなしい」というほどドストエフスキーを敬愛しています。ドストエフスキーのように、いろいろな世界観、視点を一つの作品の中に詰め込んで組み合わせる「総合小説」を書いてみたい。特に『カラマーゾフの兄弟』は繰り返し読み、最も影響を受けた本だそうです。私も『カラマーゾフの兄弟』は世界最高峰の総合小説だと思います。

その二。村上春樹の描く比喩は世界的に評価され、愛されています。「春の熊くらい好きだよ」(『ノルウェイの森』講談社文庫)なんて表現は、どういうインプットをすれば可能なのか、一度聞いてみたいものです。

その三。昔の小説家といえば酒を飲んでクダを巻いたり、女のところを転々とする無頼派《ぶらいは》のイメージでした。でも最近は村上春樹のように、サラダを食べて、ジョギングをして、締め切りをきちんと守って出版社に原稿を渡す、という小説家が増えてきました。

又吉直樹《またよしなおき》

『火花《ひばな》』

（文春文庫、二〇一七年）

文庫本を破って食べたほどの太宰好きのお笑い芸人が芥川賞を受賞で出版界・芸能界が盛り上がる

大地を震わす和太鼓の律動に、甲高《かんだか》く鋭い笛の音が重なり響いていた。熱海《あたみ》湾に面した沿道は白昼の激しい陽射《ひざ》しの名残を夜《や》気《き》で溶かし、浴衣《ゆかた》姿の男女や家族連れの草《ぞう》履《り》に踏ませながら賑《にぎ》わっている。沿道の脇にある小さな空間に、裏返しにされた黄色いビールケースがいくつか並べられ、そこにベニヤ板を数枚重ねただけの簡易な舞台の上で、僕達は花火大会の会場を目指し歩いて行く人達に向けて漫才《まんざい》を披露《ひろう》していた。

ポイント解説

最初の一文からチカラのある文章です。いや、格調の高い文章というべきかもしれません。

冒頭文は若手芸人の徳永が、先輩芸人の神谷と出会う場面です。芸談を交わしているうちに、徳永は神谷のお笑い芸に対する姿勢にひかれて弟子入りを申し入れます。弟子にしてやる条件が神谷の伝記を書くことになり、徳永は一生懸命に資料集めをします。しかし伝記が完成したのかどうかは小説ではわかりません。

この小説のラストは漫才シーンでした。コンビを解消するという非常事態のふたりのやりとりは火花が散っていますが、読後感はとても爽快です。これからも芸人と作家の二刀流で行くのでしょう。

うんちく

作者のプロフィールを簡潔に紹介します。彼はピースという漫才コンビのボケ担当で吉本興業に所属しています。猫背で長髪がユニークなヘアスタイルの人です。芸人としても売れつつありました。

私はお笑い芸人の方たちとテレビなどでご一緒したら、みなさんの優れた感受性に一発でマイります。又吉さんとは対談もさせてもらいましたが、刺激的でした。

そんな彼が小説を発表しました。純文学雑誌『文学界』（二〇一五年二月号）は作品『火花』が話題になり、増刷しました。同年に発売された単行本の『火花』が大ヒット。芥川賞を受賞して、二年後には文庫にもなり、累計三百万部超の売れ行きとなりました。

彼を知る人たちは、彼が芥川を受賞しても驚かなかったようです。「読書好きの芸人」として仲間内では知られていたからです。

「（又吉は）本が好きすぎるあまり、本を腹に入れたいという衝動に駆られ、太宰治の文庫本を破ってその紙を食べたこともあった。又吉の読書好きは、単なる趣味のレベルを超えた次元のものだ。〈中略〉又吉は太宰の作品をむさぼるように読みあさっている。特に『人間失格』はこれまでに10回以上は読み返している。」

（ラリー遠田『教養としての平成お笑い史』ディスカヴァー携書、二〇一九年）

太宰治の中で、いちばんファンが多いのは『人間失格』でしょう。死の直前に発表された中編小説です。冒頭文からして若者を惹きつけてやみません。

「恥の多い生涯を送って来ました。自分には、人間の生活というものが、見当つかないのです。自分は東北の田舎に生れましたので、汽車をはじめて見たのは、よほど大きくなってからでした。自分は停車場のブリッジを、上って、降りて、そうしてそれが線路をまたぎ越えるために造られたものだという事には全然気づかず、ただそれは停車場の構内を外国の遊戯場みたいに、複雑に楽しく、ハイカラにするためにのみ、設備せられてあるものだとばかり思っていました。」（『人間失格・桜桃』角川文庫、一九八九年／改版二〇〇七年）

又吉さんが、文学好きになったきっかけは、中二で読んだ芥川龍之介《あくたがわりゅうのすけ》の『トロッコ』だといいます。私も『トロッコ』は好きな作品です。みなさんも、ぜひ明るく元気よく音読してみてください。

第3章

読めば読むほど
どんどん教養が高まる
日本の古典文学の名作

日本最古の歴史書で古代人の世界観に触れる――訓読文を読むだけでも、神話の面白さが発見できる

太安麻侶《おおのやすまろ》撰

『古事記《こじき》』

（『新版 古事記 現代語訳付き』中村啓信訳注、角川ソフィア文庫、二〇〇九年）

天地《あめつち》初めて発《ひら》くる時に、高天原《たかあまのはら》に成《な》りませる神の名《みな》は、天之御中主神《あめのみなかぬしのかみ》。次に高御産巣日神《たかみむすひのかみ》。次に神産巣日神《かむむすひのかみ》。此《こ》の三柱《みはしら》の神は、みな独神《ひとりがみ》と成り坐《ま》して、身《み》を隠《かく》したまふ。

現代語訳（中村啓信訳）

天と地が初めてひらけた時に、天上世界に出現した神の名は、天之御中主神《あめのみなかぬしのかみ》。次に高御産巣日神《たかみむすひのかみ》。次に神産巣日神《かむむすひのかみ》。この三柱《みはしら》の神は、それぞれ一神としての単独神（男女の区別のない単独の神）でおいでになって、その姿を顕《あき》らかになさることがなかった。

ポイント解説

日本最古の歴史書『古事記』の冒頭で描かれているのは、日本神話の天地開闢《かいびゃく》です。高天原という地名や数々の神様の名前が見えますが、古代人の世界観の一端に触れることができます。

もう少し先のところに、有名な天《あめ》の石屋《いわや》のエピソードがありますので引用しましょう。

「是《ここ》に天照大御神《あまてらすおおみかみ》恠《あや》しと以為《おも》ほし、天の石屋の戸を細《ほそ》めに開きて内《うち》より告《の》りたまはく、『吾《あ》が隠《こも》り坐《いま》すに因りて、天の原自《おの》づから闇《くら》く、また葦原中国《あしはらのなかつくに》もみな闇けむと以為《おも》ふを、何《なに》に由《よ》りて天宇受売《あめのうずめ》は楽《あそび》を為《し》、また八百万《やおよろず》の神諸《かみもろもろ》咲《わら》ふ』とのりたまふ。尓《しか》して天宇受売白《ま》言《を》さく、『汝命《いましみこと》に益《ま》して貴《たふと》き神坐《いま》す。故歓喜《かれよろこ》び咲《わら》ひ楽《あそ》ぶ』とまをす」

大意は以下のとおりです。天照大御神は不思議に思い、天の石屋（高天原にある洞窟）の戸を細めに開けて、中から「私がここに籠っているので、天の世界はおのずと暗く、葦原中国もみな暗いだろうと思っていたのに、なぜ天宇受売は歌舞をし、あまたの神々はみな笑っているのか」と仰せられました。天宇受売命が申すことには、「あなたさまより立派な神がいらっしゃいますので、歓び笑って歌舞をしているのです」と。

うんちく

訓読文を読むだけでも、さまざまな発見があると思います。たとえば、天照大御神が、自分がこうやって籠っているからには世界は真っ暗なはずなのに、「何《なに》に由《よ》りて天宇受売《あめのうずめ》は楽《あそび》を為《し》、また八百万《やおよろず》の神《かみ》諸《もろもろ》咲《わら》ふ」と訊ねます。

このようにちょっと読むだけでも、笑う行為は「咲」だったんだな、とか、遊ぶのを「楽」という漢字で表していたんだ、と気づくことができます。

では、原文はどうなのかというとこうです。

「何由以天宇受賣者為樂亦八百万神諸咲」

文字といえば中国から入ってきた漢字しかない時代に、古人は口承で伝わってきた物語をこのように書き記したわけです。にもかかわらず現在の私たちが『古事記』を平易な形で読むことができるのは、本居宣長《もとおりのりなが》らが解読してくれたからなのです。

本居宣長は若い頃、『万葉集』を解読した賀茂真淵《かものまぶち》に会い『古事記』の研究をしたいと話しました。すると真淵は「自分も『古事記』は非常に重要だと思っていました。しかし私自身は『万葉集』研究で一生涯かかってしまうので、『古事記』研究はあなたに託します」と伝えたのです。昔の日本人の心をなんとか解読しようとした研究者の苦労が偲ばれる逸話です。本居宣長の書いた『古事記伝』は現在に至るまで『古事記』研究のベースになっています。

『万葉集《まんようしゅう》』

（全訳注原文付、中西進訳、講談社文庫、全四巻、一八七八年〜一九八三年）

昔の日本人の心を味わうことができるのは、原文の漢字を研究者が読み解いてくれたから

籠《こ》もよ　み籠《こ》持ち　掘串《ふくし》もよ　み掘串《ぶくし》持ち
この岳《をか》に　菜摘《なつ》ます児　家聞かな　名告《の》らさね　そらみつ　大和《やまと》の国は　おしなべて
われこそ居《を》れ　しきなべて　われこそ座《ま》せ
われこそは　告《の》らめ　家をも名をも

雄略天皇《ゆうりゃくてんのう》

現代語訳

美しい籠《かご》を持ち、ふくし（竹・木などで作った土を掘るへら状の道具）を持って、この岡で菜を摘んでいる娘よ。家がどこにあるのか聞かせてほしい、名前を教えてほしい。大和《やまと》の国は、すべて私が治めている。広く私が支配しているのだ。私こそ家も名も名乗るから、家と名を教えてほしいものだね。

ポイント解説

冒頭の歌は、女性たちが若菜を摘んでいるところに、男性が「家と名前を教えてよ」と押しかけていきます。現代でいえば「メールのアドレスを教えてよ」という光景に似ています。ただ、少しだけ違うのが、当時は「名前を教えてよ」というのが求婚を意味していたということです。今時の若者よりも昔の男性のほうが積極的ですし、展開がとても速いのです。

雄略《ゆうりゃく》天皇は「大和《やまと》の国は私が治めている」と詠んでいますが、天皇の支配色を感じるよりは、若菜を摘んでいる女性に男性が語りかける光景に、天皇自身が乗っかっている面白さを味わう歌といえます。

うんちく

さて、『万葉集』を読むと日本語力が身につくことをご存じでしょうか。私たちは文章を自由に書き綴ることができます。それというのも、上代（奈良時代とそれ以前の時代）の人々が、中国から輸入した漢字で一生懸命表現してくれたおかげなのです。

『万葉集』は天皇から無名の人々まで、あらゆる階層の人々の歌四千五百首を収めた歌集です。上代の人々の生活や考え方が分かる貴重な資料といえるでしょう。

『万葉集』は万葉仮名《がな》という、当時の仮名遣いで書かれています。万葉仮名には二種類あって、一つは音《おん》を当てていくものです。もう一つは大和言葉《やまとことば》の意味を考えて漢語を当てるものです。

意味ぴったりな漢語を当てた場合、後の人々はどう読んでいいのか分からなくなってしまいます。それを江戸時代の賀茂真淵《かものまぶち》という国学者が研究して、読めるようにしたのです。

たとえば柿本人麻呂《かきのもとのひとまろ》に、こういう歌があります。

「東《ひむがし》の野に炎《かぎろひ》の立つ見えてかへり見すれば月傾《かたぶ》きぬ」

これは、賀茂真淵がこのように読むといいと提案した読み方に従っているのです。ところが、この原文はこのように書かれています。

「東野炎立所見而反見為者月西渡」

最初の「東」からして「ひむがし」以外にも「あづま」とも読めますし、「炎」も「かぎろひ」以外に「けぶり」と読むことが可能です。「所見而」にも諸説あります。つまり、実際には読みを確定できないけれど、とりあえず賀茂真淵が決めた通りに読んでいるのです。

たった一首でこのような諸説が出てくるわけですから、四千五百首すべてを読み解くのがとてつもなく大変な仕事だったことは想像に難くありません。

現代語訳を読むだけでもかまいません。先人の苦労の積み重ねによってこうやって日本語がつくり上げられてきて、その結果今の私たちはこういう言葉を使っているのだ、ということが実感できるだけでも、非常に価値の高い読書になるはずです。

紫式部《むらさきしきぶ》

『源《げん》氏《じ》物《もの》語《がたり》』

（柳井滋ほか校注、岩波文庫、全九巻、二〇一七年）

千年を超えてなお愛される真の世界文学
異性にモテる秘訣を読み取ることもできる

いづれの御時《おんとき》にか、女御《にょうご》、更衣《こうい》あまたさぶらひ給《たま》ひける中に、いとやんごとなき際《きわ》にはあらぬが、すぐれてときめき給ふ有りけり。はじめより、我は、と思ひ上がりたまへる御方〴〵、めざましき物におとしめそねみ給ふ。同《おな》じ程、それよりげらふの更衣たちはましてやすからず。朝夕の宮仕《みやづか》へにつけても人の心をのみ動かし、うらみを負《お》ふ積《つも》りにやありけむ、いとあづしくなりゆき、物心ぼそげに里がちなるを、いよ〳〵飽《あ》かずあはれなる物に思ほして、人の譏《そし》りをもえ憚《はばか》らせ給はず、世のためしにも成りぬべき御もてなしなり。

現代語訳

いつの御世であったか、多くの女御《にょうご》・更衣《こうい》がお仕えするなかに、身分は大したことはないが目立って寵愛を受ける方がいました。
入内《じゅだい》当初から自分こそは寵愛をと思い決めていた女御方はその方を蔑《さげす》んだり貶《おとし》めたりし、同格や身分の低い更衣たちはいっそう心穏やかではありません。朝夕のお仕えにつけても、他の女御や更衣人の嫉妬をかきたてるばかりで、恨みを受けることが度重なったためでしょうか、病気がちになり、心細そうに里に帰りがちになる姿に、ますます帝はいとおしさを募らせ、周囲の陰口も気になさることもなく、後の世までの語り草になりそうなご寵愛でした。

ポイント解説

この冒頭文は白居易《はくきょい》の『長恨歌《ちょうごんか》』にヒントを得ているといわれています。桐壺《きりつぼ》帝の寵愛《ちょうあい》を受けた更衣《こうい》（光源氏《ひかるげんじ》の実母）のはかなげな様子がうまく描かれていてとても印象的な文章です。幼くして母を亡くした光源氏は、亡き母に生き写しの藤壺《ふじつぼ》（義母）を恋い慕うようになります。この道ならぬ恋の行方がこの長編の縦糸になっています。光源氏は藤壺に生き写しの少女を理想の妻（紫上《むらさきのうえ》）に仕立て上げます。生き写しの「二乗」です。空蟬《うつせみ》・夕顔・明石上《あかしのうえ》・女三宮《おんなさんのみや》たちとの恋が物語の横糸になっています。

うんちく

本居宣長は『源氏物語』についても研究していて、『源氏物語玉《たま》の小櫛《おぐし》』という注釈書を書いています。江戸時代、『源氏物語』は一般の人々にはほとんど読まれていませんでした。難しいうえに、中身が色恋の話ばかりだったからです。江戸時代は儒教《じゅきょう》的な道徳心が浸透していたので、『源氏物語』の世界観が道徳観と相容れないこともあって、作品評価は低かったのです。

本居宣長は、武士道が日本の心とは思わない、なぜなら武士道のもとには儒教があるからだ、として、新たに大和心《やまとごころ》に注目して『源氏物語』を再評価したのです。こうして本居宣長は、『源氏物語』を通して「もののあはれ」を見いだします。それは彼の師である賀茂真淵が、『万葉集』の研究を通して発見した日本人の精神のつよさ「ますらおぶり」に次ぐ大和心の発見でした。

「もののあはれ」とは、切なく、やわらかく、心が動きだして、弱いものや小さいもの、はかないものに心が寄り添う、ということです。

『源氏物語』に登場する女性たちは、生き方自体がとてもはかなく、名前も藤壺《ふじつぼ》、夕顔《ゆうがお》、花散里《はなちるさと》というように花に因《ちな》んだものが多いのです。女性たちを、美しくもはかない花に見立てるひとつの仕掛けと言えます。主人公の光源氏でさえもはかない最期を迎えるように、『源氏物語』は全編「はかなさ」に満ちているのです。

紀貫之《きのつらゆき》

『土佐日記《とさにっき》』

（品川和子全訳注、講談社学術文庫、一九八三年）

男の作者が女の立場になって書いた旅日記兼半生記——虚構の美と快楽があり、性的刺激もあって魅惑的

男もすなる日記といふものを、女もしてみむとてするなり。

それの年の、しはすの、二十日《はつか》あまり一《ひと》日《ひ》の日の、戌《いぬ》の刻《とき》に門出す。その由《よし》いささかにものに書きつく。

ある人、県《あがた》の四年《よとせ》・五年《いつとせ》果てて、例のことどもみなし終へて、解由《げゆ》などとりて、住む館《たち》より出でて、船に乗るべき所へわたる。かれこれ、知る知らぬ、送りす。年頃よくくらべつる人々なむ、別れ難く思ひて、日しきりにとかくしつつ、ののしるうちに、夜《よ》更《ふ》けぬ。

現代語訳

男の人が書くという日記を女の私も書いてみようとしています。ある年の十二月二十一日の午後八時に出発しますので、そのことを多少紙に書きましょう。

ある人が、任国での四、五年の勤めを終えて、引き継ぎもすべて完了して、解由状《げゆじょう》などを受け取って、住んでいる官舎から出て、舟に乗ることになっているところへ行きました。あの人この人、面識のある人ない人が見送りする。長年、たいそう親しく付き合ってきた人々は、特に別れ難く思って、一日中、あれこれしながら騒いでいるうちに、夜は更けてしまいました。

ポイント解説

『土佐日記』は、新しい表現形式を開拓した作品です。この有名な冒頭文にあるように、男の作者が女性の立場で小説を書くというスタイルは、今日でこそよく見られますが、そうした虚構をはじめて実践した紀貫之は、日本文学史上に名を残そうという野心に満ち溢れていました。「男が女になる」、あるいは「女が男になる」ことは、読むものの性的中枢をも刺激してとても魅惑的です。そこには虚構の美と快楽があるからです。

うんちく

『土佐日記』は日記ですが、毎日を記録する日記とはまるで違います。絵物語のように旅や自分の半生をつづったものです。作者が晩年に土佐守《とさかみ》（国司《こくし》）となって任地へおもむき、四年後に土佐（現・高知県）の国司の館を出発して京都へ帰着するまでの体験を書いたものです。都へ帰るのに五十五日間かかっています。

紀貫之はなぜ偽装してこれを書いたのでしょうか。

奈良時代から平安時代のはじめ頃にかけて、文字は漢字でした。そののち、漢字の草体から平仮名が考えだされ、女文字として愛用されました。男性は漢字、女性は仮名という区別がありました。

もちろん紀貫之は漢文を書けましたが、あえて平仮名で書いたのは、漢文では細やかな心の動きを正確に書くことができないと判断したからではないでしょうか。

『土佐日記』には、きわめて私的なことも書いてあります。たとえば、任期中に幼い娘が急死するような悲しい目にも遭います。このことが中心テーマの一つとなっており、その悲しい心情を切々と正直に書いているのです。これは仮名で表現しやすい心の機微でしょう。前国主紀貫之としてではなく、平凡な子煩悩な父親（中級官僚）としての姿がみてとれます。

『土佐日記』の評価は、ズバリ日記文学の創造です。ドキュメンタリー風の創作を行っています。

紀貫之は歌人としても高名です。『古今和歌集《こきんわかしゅう》』（最初の勅撰《ちょくせん》和歌集）の選者でもあったのです。

清少納言《せいしょうなごん》

『枕草子《まくらのそうし》』

(石田穣二訳注、角川文庫、全二巻、一九七九～一九八〇年)

好き嫌いで判断する清少納言ワールド
価値観ならぬ「価値感」ねえさんの元祖

春は、曙《あけぼの》。やうやう白くなりゆく、山ぎはすこし明《あか》りて、紫だちたる雲のほそくたなびきたる。

夏は、夜。月のころはさらなり、闇《やみ》もなほ、螢《ほたる》の多く飛びちがひたる。また、ただ一つ二つなど、ほのかにうち光りて行《ゆ》くも、をかし。雨など降るも、をかし。

秋は、夕暮。夕日のさして、山の端《は》いと近うなりたるに、烏《からす》の、寝どころへ行《ゆ》くとて、三つ四つ二つなど、飛び急ぐさへ、あはれなり。まいて、雁《かり》などのつらねたるが、いと小さく見ゆるは、いとをかし。日入り果てて、風の音《おと》、虫の音《ね》など、はた、言ふべきにあらず。

冬は、つとめて。雪の降りたるは、言ふべきにもあらず、霜のいと白きも、またさらでも、いと寒きに、火など急ぎおこして、炭持《も》てわたるも、いとつきづきし。昼になりて、ぬるくゆるびもていけば、炭櫃《すびつ》火桶《ひおけ》の火も白き灰がちになりて、わろし。

現代語訳

春は明け方。しだいに空が白《しら》み、稜線に紫の雲がなびくのが良い。夏は夜。月夜が良いが、暗闇に飛ぶ螢や雨の夜も風情がある。秋は夕暮れ。ねぐらに急ぐ烏や雁の飛ぶ姿、日が落ちて風や虫の音が聞こえるのも良い。冬は早朝。雪の降る朝はもちろん、霜の朝に急いで火を熾《おこ》して、炭を持ち運ぶ姿も良い。昼に寒さがゆるみ、火桶の火が白い灰がちになるのはみっともない。

ポイント解説

『枕草子』と聞いて真っ先に思い浮かべるのは、この冒頭の一文「春は、曙」ではないでしょうか。四季の移ろいが描かれ、日本人の感性に訴えかけてくる名文です。ぜひ音読して味わってみてください。

引用した初段の冒頭文には「あはれ」、「をかし」という言葉が出てきますが、清少納言は「価値感ねえさん」です。近頃は価値観ならぬ価値感が大手を振って歩いています。自分の感覚を第一に価値を決めていくやり方です。彼女はこの価値感スタイルの元祖と言っていいでしょう。深い情感を伴う「あはれ」とは違う、知的感覚による「をかし（面白い）」の価値判断スタイルをつくりだしました。アイデアカとセンスがずば抜けています。

うんちく

また清少納言の持ち味は、「歯切れの良さ」です。好きなものは好き、嫌いなものは嫌いとはっきり言います。たとえば「うつくしきもの」（「小さくてかわいらしいもの」）としてこう述べます。「瓜《うり》に描《か》きたるちごの顔。雀《すずめ》の子の、ねず鳴きするに、踊り来る。二つ三つばかりなるちごの、急ぎて這《は》ひ来る道に、いと小さき塵《ちり》のありけるを目ざとに見つけて、いとをかしげなる指《および》にとらへて、大人などに見せたる、いとうつくし。」

ほかにも、「近うて遠きもの」として「はらから（兄弟姉妹）、親族《しぞく》の仲」を、「遠くて近きもの」として「極《ごく》楽《らく》。舟の道。人の仲（男女の仲）」を挙げています。常に具体物を挙げて簡潔に表現する技は見事です。歯切れがいいだけに「言いすぎ」も持ち味で、美人が歯痛で泣いて真っ赤になっているのを「いとをかし」と書いています。しかしこの過剰さを私は憎めません。

『平家物語《へいけものがたり》』（梶原正昭・山下宏明校注、岩波文庫、全四巻、一九九九年）

「無常感＋肉体の文学」が『平家物語』の特徴
和漢混交文の完成形の一つ

祇園精舎《ぎおんしょうじゃ》の鐘の声、諸行無常《しょぎょうむじょう》の響《ひびき》あり。娑羅双樹《しゃらそうじゅ》の花の色、盛者必衰《じょうしゃひっすい》のことわりをあらはす。奢《おご》れる人も久しからず、唯《ただ》春の夜の夢のごとし。たけき者も遂《つい》にはほろびぬ、偏《ひとえ》に風の前の塵《ちり》に同じ。遠く異朝《いちょう》をとぶらへば、秦の趙高《ちょうこう》・漢の王莽《おうもう》・梁《りょう》の周伊《しゅうい》・唐の禄山《ろくさん》、是等《これら》は皆旧主先皇《きゅうしゅせんこう》の政《まつりごと》にも従はず、楽《たのし》みをきはめ、諫《いさめ》をも思ひいれず、天下の乱れむ事をさとらずして、民間の愁《うれう》る所を知らざッしかば、久しからずして、亡《ぼう》じにし者ども也《なり》。

現代語訳

この世は常なく変わっていくものと祇園精舎の鐘は響き、盛んな者は衰えると沙羅双樹の花の色は告げます。奢れるものは久しからず、春の一夜の夢のごとくはかない。猛々《たけだけ》しい者もやがて滅びるのは風に漂う塵と同じです。遠く外国の例を尋ねてみると、秦の宦官《かんがん》の趙高らはいずれも本来の政《まつりごと》を行わず、楽しみを極め、諫《いさ》めを聞かず、国を乱して人心が離れ、滅びました。

ポイント解説

暗唱できる人も多い有名な冒頭文で始まる『平家物語』は、平家の栄華と悲しい運命を語った鎮魂の物語です。すべては無常、という認識が全体の基調低音として流れており、大和言葉《やまとことば》と漢語がうまくまじり合った和漢混交文体《わかんこんこうぶんたい》の傑作です。語りのリズムが心地よいので、ぜひ音読して名文の魅力を味わってください。

うんちく

屋島《やしま》（現・香川県高松市）の合戦の名場面を紹介しましょう。

「与一、目をふさいで、『南無《なむ》八幡大菩薩、我国《わがくに》の神《しん》明《めい》、日光権現《にっこうのごんげん》・宇都宮《うつのみや》・那須《なす》のゆぜん大明神、願《ねが》くはあの扇のまゝなか射させてたばせ給へ。これを射そんずる物ならば、弓きりをり自害して、人に二《ふた》たび面《おもて》をむかふべからず。いま一度《いちど》本国へむかへんとおぼしめさば、この矢はづさせ給ふな』と、心のうちに祈念して、目を見ひらいたれば、風もすこし吹《ふき》よわり、扇も射よげにぞなッたりける。与一、鏑《かぶら》をとッてつがひ、よッぴいてひやうどはなつ。」

〈大意〉「どうかあの扇の真ん中を射当てさせたまえ。射損なったならば弓を切り折って自害するまで。本国へ迎えてやろうと思し召しなら射損じたもうな」と与一が念じると、ちょうど風が弱まったので、弓を引きしぼり射放ちました。鏑矢《かぶらや》は浦一番に響くほどに長く鳴りわたり、みごと扇のかなめのきわから一寸ほど上を射切りました。

冒頭文の印象からすると、ひたすらはかなげなようですが、『平家物語』は実は「肉体の文学」です。私は、『平家物語』の神髄は躍動する肉体にあると思います。

平家軍の船上の正装した女房が、竿の先に総紅《そうべに》に金の日の丸の扇をつけて、射落としてみよと陸の源氏軍を挑発します。源義経《みなもとのよしつね》はビビる与一にプレッシャーをかけます。肚《はら》を決めた与一が、一世一代のパフォーマンスに向かいます。みごと射落として両軍が感嘆するのも、スポーツマンシップに溢れています。

『平家物語』を肉体の文学たらしめているもう一つの要素は、琵琶法師《びわほうし》の語りです。盲目の検校《けんぎょう》が琵琶《びわ》を弾き鳴らしながら語る情景はそれだけで凄《すご》みがあります。琵琶法師の語りの技は、聴いている平家の亡霊たちの肉体を揺さぶり、悲痛な叫びをあげさせます。

『太平記《たいへいき》』（兵藤裕己校注、岩波文庫、全六巻　二〇一四年〜二〇一六年）

俊基《としもと》の洗練された道行《みちゆ》き文は、原文を音読するうちに、理解できてくる

蒙竊《もうひそ》かに古今《ここん》の変化《へんか》を探《さぐ》つて、安危《あんき》の所《しょ》由《ゆう》を察《み》るに、覆《おお》つて外《ほか》なきは天の徳なり。明《めい》君《くん》これに体《てい》して国家《こっか》を保つ。載せて棄《す》つることなきは地の道なり。良臣《りょうしん》これに則《のっと》つて社稷《しゃしょく》を守る。若《も》しその徳欠くる則《とき》は、位《くらい》ありと雖《いえど》も持《たも》たず。〈中略〉その道違《たが》ふ則は、威《い》ありと雖も保たず。

現代語訳

ひそかに歴史の移り変わりを調べ、平和と戦乱の原因を探ってみたが、あらゆる物事を覆っているのは天の徳だと分かった。優れた君主は天の徳を身につけて国を治める。他方、あらゆる物事をありのまま受け入れるのが地の道である。優れた臣下は地の道に従って国を守る。君主に天の徳が欠けているならば、帝位を維持することはできない。〈中略〉臣下が地の道に外れた行いをすれば、権威があってもそれを保持することはできない。

ポイント解説

『太平記』は十四世紀に成立した軍記物の四十巻に及ぶ大作で、調子のいい文体〈和漢混淆文《わかんこんこうぶん》〉で人気でした。紹介した冒頭文は序文にあたり、全四十巻を貫く政治観を君臣の道によって分かりやすく示しています。理想の政治とは何か。それは君徳に従った臣下の仁政であると説いているのです。

うんちく

冒頭文に続く引用部分が『太平記』の名場面で、暗唱の定番です。

「落花《らっか》の雪に道紛《まが》ふ、片野《かたの》の春の桜狩り、紅葉《もみじ》の錦《にしき》を着《き》て帰る、嵐の山の秋の暮《くれ》、一夜を明かす程だにも、旅《たび》宿《ね》となれば懶《ものう》きに、恩愛《おんあい》の契り浅からぬ、故郷《ふるさと》の棲家《すみか》を出でて、互ひに悲しき妻子をば、行末《ゆくえ》も知らず思ひ置き、住《す》み馴《な》れし九重《ここのえ》の帝都《ていと》をば、今を限りと顧《かえり》みて、思はぬ旅に出で給ふ、心の中《うち》ぞあはれなる。」

〈大意〉桜吹雪に道を迷うほどの片野《かたの》（現・大阪府交野市）に春の花見や、紅葉が落ちてまるで錦の上着となるような嵐山《あらしやま》（京都嵯峨）の秋の夕暮れなど、一夜であってもよそで寝るのはもの憂きもの。ましてや住みなれた花の都をあとにして、妻子を残して行く末の知れない旅に出る、その心の哀れなことよ。

後醍醐《ごだいご》天皇に重用された日野俊基《としもと》が幕府への謀叛《むほん》の罪に問われ、関東へ下向《げこう》することになりました。再犯（「正中《しょうちゅう》の変」で捕えられたが許され「元弘《げんこう》の乱」で再逮捕された）なので、鎌倉への道中で殺されるか、鎌倉で斬られるか、どちらかだろう、と俊基本人は覚悟を決めて出発します。

片野の桜吹雪や嵐山の紅葉の錦といった、華やかな都《みやこ》を去っていく俊基の哀れさを、漢語と大和言葉のいりまじった一文に凝縮されて見事です。

俊基は鎌倉へ送られた翌年に斬首《ざんしゅ》されます。密告により倒幕計画が漏れた後醍醐天皇は隠岐島で配流生活をするかと思いきや、隠岐島を脱出して鎌倉幕府へ三度目の反旗を掲げます。足利尊氏《あしかがたかうじ》が後醍醐側に寝返り、鎌倉幕府を倒し、建武新政《けんむしんせい》をスタートさせました。

ところが、新政権は発足三年あまりで崩壊します。後醍醐天皇が望んだ天皇最盛期の「延喜《えんぎ》・天暦《てんりゃく》」時代の再現はなりませんでした。

続いて南北朝の内乱時代が始まりますが、吉野に逃れた後醍醐天皇の京都遷御の念願はついに叶いませんでした。

『太平記』は、近世に入って庶民に親しまれました。

人生の大切なことはあらかた『徒然草』に書いてある——古文の中で現代にそのまま生かして使えるナンバーワン

兼《けん》好《こう》法《ほう》師《し》

『徒《つれ》然《づれ》草《ぐさ》』

（『新版 徒然草 現代語訳付き』小川剛生訳注、角川ソフィア文庫、二〇一五年）

つれづれなるままに、日ぐらし、硯《すずり》にむかひて、心にうつりゆくよしなしごとを、そこはかとなく書きつくれば、あやしうこそものぐるほしけれ。

現代語訳

所在なさにまかせて終日硯に向かい、心に浮かんでは消えるとりとめもないことを、なんということなく書きつけると、妙に気違いじみた気持ちになるのです。

ポイント解説

日本の古典のなかでもとりわけ有名な冒頭の一節です。「つれづれなるままに」という書き出しから、後世の人が「徒然草」という書名を付けました。おしゃれなネーミングですが、末尾の「あやしうこそものぐるほしけれ」のイメージが抜け落ちてしまいます。筆を手にしたとたんに書きたいことで溢れて苦しくなる兼好の気持ちは、「物狂ほし草」とでもいうタイトルのほうが伝わったかもしれません。

うんちく

私は、この『徒然草』は日本の古典文学の中で、現代人に直接役立つ本ナンバーワンではないかと思います。逸話の一つひとつに教訓があって、「たしかにそのとおり」と感心します。成立したのは鎌倉時代後期なのですが、特別な経験が書かれているということではなく、当時の人々の日常の中から面白い話を取り上げて、しかもちゃんと教訓があるわけです。

たとえば五十二段の、仁和寺《にんなじ》の法師《ほうし》が石清水八幡宮《いわしみずはちまんぐう》に参拝に行くくだり。長年行ったことがなかった石清水八幡宮についに参拝し、帰ってきた後に「それにしても、山を登っていく人がたくさんいたけれど、あれは何だったんだろう」と言った、というだけの話です。なぜみんなが山を登っていたのかというと、本殿が山の上にあるからなんですね。そこで「少しのことにも、先達《せんだち》はあらまほしきことなり（ちょっとしたことでも案内役はいてほしいものである）」というまとめの言葉とともに締められるわけです。

もっと短いものだと、八十八段の話は百三十字以下です。書の達人として高名な小野道風《おののとうふう》が書いた『和漢《わかん》朗詠集《ろうえいしゅう》』を持っている人がいて、他の人に『和漢朗詠集』ができたのは小野道風が亡くなったあとなんだから無理があるんじゃないかと指摘されたけれど、「さ候へばこそ、世にありがたき物には侍りけれ（だからこそ世にも珍しいものなんです）」と言って秘蔵した、という話です。短いけれど面白くて、ちょっと笑ってしまいます。

私も高校時代に出会った一文によって行動を変えた経験があります。『徒然草』九十二段のこの言葉です。「初心の人、二つの矢を持つことなかれ。後《のち》の矢を頼みて、始めの矢に等閑《なほざり》の心あり。毎度《まいど》ただ後の矢なく、この一矢《ひとや》に定まるべしと思へ。」

当時テニスに打ち込んでいた私は、「そうか、今まで無意識のうちに二球目に頼る気持ちがあったのかもしれない！」と、目から鱗《うろこ》です。通常、テニス選手は最初のサーブが失敗した時のために、ポケットにはセカンドサーブ用のボールを入れてプレーしています。しかし私は、以来それを持つことをやめたのです。

兼好法師にならって一球ずつに集中しようと始めたこの習慣ですが、当然、毎回一球目のサーブに成功するわけではありません。けれど、失敗すればいちいち誰かにボールをもらいにいかなければいけない。その面倒くささもあって、より一球入魂《いっきゅうにゅうこん》の真剣勝負になりました。

井原西鶴《いはらさいかく》

『好色一代男《こうしょくいちだいおとこ》』

（暉峻康隆訳注、角川文庫、一九七九年）

世之介は女にいれあげて家の遺産をくいつぶす——男の道楽をやりきった心境がアッパレの浮世草紙

桜もちるに歎《なげ》き、月はかぎりありて入佐《いるさ》山《やま》、爰《ここ》に但馬《たじま》の国かねほる里の辺《ほとり》に、浮世の事を外《ほか》になして、色道《しきどう》ふたつに寝ても覚めても夢介《ゆめすけ》と替名《かえな》よばれて、名古屋三左《さんざ》、加《か》賀《が》の八などゝ、七ツ紋の菱にくみして、身は酒にひたし、一条通り夜更《ふけ》て戻り橋、或時は若衆《わかしゅ》出立《でたち》、姿をかへて墨染の長袖、又はたて髪かつら、化物《ばけもの》が通るとは誠に是ぞかし。〈中略〉其頃《そのころ》名高き中にも、かづらき、かをる、三夕《せき》、思ひ〱に身請《みうけ》して、〈中略〉契《ちぎり》かさなりて、此うちの腹より生れて世之介《よのすけ》と名によぶ。あらはに書きしるす迄もなし。しる人はしるぞかし。

現代語訳

桜のすぐ散ってしまうのは残念なことであり、月夜にも限りがあって、月が山に姿を隠してしまい見えなくなります。ここ但馬国《たじまのくに》（現・兵庫県北部）の銀山のほとりに、豊かな暮らしをしていて、女色《にょしょく》と男色《だんしょく》の二色に打ち込み、遊里で夢介《ゆめすけ》の通称で呼ばれる男がいました。名古屋や加賀の奴らと徒党を組み、酒浸りとなり、夜更けて京の遊郭からの帰り道、いろいろ姿を変えて通るので、化物だと噂されました。夢介は三人の太夫を身請けして、この中の一人が身籠《みご》って生まれたのが、知る人は知る本編の主人公の世之介《よのすけ》です。

ポイント解説

井原西鶴の処女作『好色一代男』巻一の冒頭文です。「ぞかし」という強調スタイル、テンポの速い叙述、豊富な事例……どれをとってもさすが西鶴という気がします。西鶴にはほかにも名文の誉れ高い書き出しではじまる『日本永代蔵《にほんえいたいぐら》』という作品がありますので、あわせてご紹介しましょう。

「天道言《てんとうものいわ》ずして、国土《こくど》に恵みふかし。人は実《じつ》あつて、偽《いつわ》りおほし。其心は本虚《もときょ》にして、物に応じて跡なし。是《これ》、善悪《ぜんあく》の中に立《たっ》て、すぐなる今の御代《みよ》を。ゆたかにわたるは、人の人たるがゆへに、常の人にはあらず。一生一大事、身を過《すぐ》るの業《わざ》、士農工商の外《ほか》、出家、神職にかぎらず。始末大明神の御託宣にまかせ、金銀を溜《たむ》べし。是、二親《おや》の外《ほか》に、命の親なり。」（岩波文庫、一九五六年）

ここで西鶴は、どんな職業の人も、倹約の神様のお告げにしたがって金銀を溜めなさい。金銀は両親を別にして、命の親だと言い切っています。この金銭観はあまり上品とは言えませんが、現実的です。

うんちく

井原西鶴は江戸時代を代表する作家です。『好色一代男』に代表される「好色物」と『日本永代蔵』のような「町人物」を二本柱としました。要するに「色と金」をテーマにしたわけで、たしかに誰しもが興味を持つテーマです。この小説が書かれた元禄《げんろく》時代とは、江戸時代の初期から中期にかけてのことですので、家（家《いえ》継《つぎ》）が非常に大事なものでした。しかし主人公の世之介は、稼いだ金をすべて女遊びにつぎこみます。「一代男」とは、その男一代限りで妻も子供もない、子孫を残さないという意味です。その徹底ぶりに読者はかえって清々《すがすが》しさと羨望《せんぼう》を覚えるようで、女性が読んでも、読後感は悪くはないのではないでしょうか。

この処女作が大ヒットして、西鶴は稀代《きだい》のベストセラー作家となりました。西鶴の作品に反骨精神を感じとるのは『日本永代蔵』も同じです。この作品は商売のコツがストーリー仕立てに描かれた、いわば現代の経済小説のさきがけです。

近松門左衛門《ちかまつもんざえもん》

『曾根崎心中《そねざきしんじゅう》』

（『曾根崎心中・冥途の飛脚　他五篇』祐田善雄校注、岩波文庫、一九七七年）

此《こ》の世《よ》のなごり。夜《よ》もなごり
我《われ》とそなたは女夫星《めおとぼし》

げにや安楽世界より。今此の娑婆《しゃば》に示現《じげん》して。われらがための観世音。仰ぐも高し高き屋に。登りて民《たみ》の賑ひを。契り置きてし難波津や。

現代語訳

極楽からこの世に現れて我々を救済して下さる観音さまの恩徳は、仰ぎ見ても高いものです。高いといえば、むかし高殿《たかどの》に登った仁徳《にんとく》天皇が和歌を詠んで人々の繁栄を約束した、ここ大坂。

ポイント解説

元禄《げんろく》時代の町人社会に題材を得る「世話物浄瑠璃《せわものじょうるり》」のスタイルをつくった画期的作品の冒頭文です。人形浄瑠璃（文楽《ぶんらく》）では、義太夫節《ぎだゆうぶし》と呼ばれる独特の節回しでゆっくりと三味線《しゃみせん》伴奏で語られます。七五調なので、声に出すと味わい深いものです。

次の「道行《みちゆき》」の冒頭部分は、暗唱の定番です。

「此《こ》の世の名残《なごり》。夜《よ》も名残。死にゝ行く身を譬ふれば。あだしが原の道の霜。一足づゝに消えて行く。夢の夢こそあはれなれ。あれ数ふれば暁《あかつき》の。七つの時が六つなりて残る一つが今生《こんじょう》の。鐘の響《ひびき》の聞納《ききおさ》め。寂滅為楽《じゃくめついらく》と響くなり。鐘斗《ばかり》かは。草も木も。空《そら》も名残《なごり》と見上《あ》ぐれば。雲心なき水の音北斗は冴えて影映る星の妹背《いもせ》の天の川。梅田の橋を鵲《かささぎ》の橋と契りていつまでも。われとそなたは女夫星《めおとぼし》。必ず添うと縋《すが》り寄り。二人が中に降る涙川の水嵩《みかさ》も増さるべし。」

〈大意〉この世も今宵《こよい》限り、死に行く身は足元の霜が消えていく夢の中の夢のようにはかない。暁を告げる鐘の音もこれ限り、煩悩《ぼんのう》を脱してこそ楽があると聞こえる。草木も空も今生《こんじょう》の見納めと眺めれば、雲は無心の空にあり、水も無心に音をたてて流れ、北斗星は冴えて水に影を映す。梅田の橋を、牽牛《けんぎゅう》織女《しょくじょ》のために天の川にかけた鵲の橋と契り、永遠に二人は夫婦、必ずそうなろうと泣く涙で川の水も増えるにちがいない。

うんちく

近松門左衛門は、虚実《きょじつ》をとりまぜ、下世話《げせわ》なものも美に変える日本のシェイクスピアです。近松の手にかかれば、悲惨な心中《しんじゅう》さえも極限的に美しい愛の世界に浄化されます。まさに愛の錬金術師《れんきん》。生身のような人形浄瑠璃（文楽）が、ままならぬこの世の不幸を代わりに背負って美しく死んでいく……。

『曾根崎心中』は一七〇三年（元禄十六）五月に初演されました。近松は世話狂言の方法を浄瑠璃に取り入れます。当代の社会に取材した世話物浄瑠璃です。この作品は竹本座で上演され大当たりします。

大坂商家の手代徳兵衛《てだいとくべえ》が遊女おはつと深く契《ちぎ》り合います。主人の姪との結婚を断ります。金をだまし取られて二人は心中に至ります。先に引用した「道行」（相愛の男女の駆け落ちの場面）は、心中の場所の曽根崎天神の森に行くまでのしみじみとした名場面です。

「心中もの」のもう一つの名作が『冥土《めいど》の飛脚《ひきゃく》』です。「身をつくし難波に咲くや此の花の」で始まる冒頭文が読み心を誘います。

飛脚屋忠兵衛は遊女梅川となじみになります。忠兵衛は友人八右衛門の金五十両を使ってしまいます。忠兵衛と梅川は、彼のふるさとの村にいたり、父親と対面しますが、ふたりは代官に捕えられます。

批判の対象の情死を見事に浄化した巧みな作品です。

第4章

日本&世界「知のレジェンド」からのメッセージ
自伝・遺書・手紙・評伝の傑作

新井《あらい》白石《はくせき》

『折《おり》たく柴《しば》の記《き》』

（松村明校注、岩波文庫、一九九九年）

幕府財政の立て直しに奔走した江戸の儒学者・白石——『福翁自伝』と並ぶ自伝文学の名著

むかし人は、いふべき事あればうちいひて、その余はみだりにものいはず、いふべき事をも、いかにもことば多からで、其《その》義を尽したりけり。我父母《わがちちはは》にてありし人々もかくぞおはしける。父にておはせし人のその年七十五になり給ひし時に、傷寒《しょうかん》をうれへて、事きれ給ひなんとするに、医の来りて独参湯《どくじんとう》をなむすゝむべしといふ也。

ポイント解説

新井白石は、江戸時代に並ぶ者なしと言われた「大」の字のつく学者（儒者《じゅしゃ》、すなわち朱子《しゅし》学者で将軍の侍《じ》講《こう》）・政治家です。六代将軍家宣《いえのぶ》とともに幕政の改革に乗り出し、七代家継《いえつぐ》の二代にわたり幕府中枢で活躍しました。

『折たく柴の記』は白石の自伝ですが、福澤諭吉《ふくざわゆきち》の『福翁《ふくおう》自伝』に並ぶ名著として誉れ高い作品です。昔の人は無用の口をきかず、言うべきことを言いたいときに言った、という書き出しではじまり、白石の祖父母の時代から両親のことや自らの生い立ち、事績が詳しく語られていきます。音読すると文体のリズムが味わい深い文章です。

なお、『折たく柴の記』という書名の由来は、後鳥羽《ごとば》上皇《じょうこう》の歌「思ひ出づる折りたく柴の夕煙むせぶもうれし忘れがたみに」（『新古今和歌集』）によるものです。

うんちく

本書には海舶互市新例《かいはくごししんれい》についての記述があります。これをひとことで言えば長崎貿易の制限令です。

「当家代をしろしめされて、海舶互市《かいはくごし》の事始《はじめ》しより、此《この》かた、凡《およそ》百余年の間、我国之宝貨、外国に流れ入りし所、すでに大半を失ひぬ。〈中略〉これより後、百年を出ず、我国の財用こと〴〵く竭《つき》なむ事は、智者を待《また》ずして、其事明かなり。〈中略〉我有用之財を用ひて、彼無用之物に易《かえ》んこと、我国万世の長策にあらず。」

幕府財政は、先の元禄《げんろく》時代（五代将軍綱吉《つなよし》の時代）に赤字に転じていました。白石の計算によると、世界有数の金銀産出国である日本の保有する金《きん》は四分の一、銀《ぎん》は四分の三が海外（中国とオランダ）へ流出していました。生糸《きいと》、絹織物《きぬおりもの》、朝鮮人参《ちょうせんにんじん》、砂糖などの贅沢品《ぜいたくひん》を輸入してその代金を金銀で支払っていたからです。このまま放置すれば、金は半分、銀はゼロになってしまうだろうと、白石は推定しました。

そこで白石は中国船三十隻・取引額六千貫、オランダ船二隻・三千貫に制限し、足りぬところは国産品をもって代替せよ、と命じました。これは相当な成果をあげました。

白石の「正徳の治」が確実に成果をあげぬうちに、八代将軍吉宗《よしむね》がデビューしました。七代将軍家継が亡くなった一七一六年（正徳六）のことです。

白石が幕府政治にかかわった時代「正徳の治」は七年間でした。貨幣の改鋳（正徳金銀の鋳造）も行いました（金・銀ともにもとの慶長の純度に戻した）。そして金座・銀座の商人らが、改鋳手数料を増やすために、勘定奉行《かんじょうぶぎょう》（幕府の役人）荻原重秀《おぎわらしげひで》らにワイロを贈る、という不正な慣習を改めさせ、重秀をクビにするなど、相当な成果をあげました。

しかし、長崎貿易の制限も貨幣の改鋳も、白石が理想主義に走りすぎたことと、その期間が短かすぎたことなどで、思うような成果があげられませんでした。白石は、吉宗時代には政治の表舞台に出ないで、著作に打ち込みました。『読史余論《とくしよろん》』、『西洋紀聞《きぶん》』、『古史通』などです。

福澤諭吉《ふくざわゆきち》

『福翁自伝《ふくおうじでん》』

（新訂版、富田正文校訂、岩波文庫、一九七八年）

幕末・明治維新期の激動の時代を生き抜いた記録——文語文で綴っているが、語り口調なので読みやすい

福澤諭吉の父は豊前《ぶぜん》中津奥平《おくだいら》藩の士族福沢百助《ひゃくすけ》、母は同藩士族橋本浜右衛門《はまえもん》の長女、名を於順《おじゅん》と申し、父の身分はヤット藩主に定式《じょうしき》の謁見が出来るというのですから、足軽よりは数等宜《よろ》しいけれども、士族中の下級、今日で言えばまず判任官の家でしょう。藩でいう元締役《もとじめやく》を勤めて、大阪にある中津藩の倉屋敷に長く勤番《きんばん》していました。それゆえ家内残らず大阪に引っ越していて、私《わたし》共《ども》は皆大阪で生まれたのです。兄弟五人、総領の兄の次に女の子が三人、私は末子《ばっし》。私の生まれたのは天保五年十二月十二日、父四十三歳、母三十一歳の時の誕生です。ソレカラ天保七年六月、父が不幸にして病死。跡に遺《のこ》るは母一人《ひとり》に子供五人、兄は十一歳、私は数《かぞ》え年で三つ。斯《か》くなれば大阪にも居られず、兄弟残らず母に連れられて藩地の中津に帰りました。

ポイント解説

『福翁自伝』の冒頭文には、福澤諭吉の家族構成と幼少期の出来事が明晰な文体で書かれています。

諭吉は江戸末期の一八三四年（天保五）に大坂の豊《ぶ》前《ぜん》（現・大分県北部と福岡県東部）藩蔵屋敷《くらやしき》で、中津《なかつ》藩の下級士族（家禄《かろく》二十六石）の次男として生まれ、蔵屋敷に居候《いそうろう》しながら蘭学《らんがく》（オランダ語）を学びました。

やがて一八六八年（明治元年）に明治維新が起こります。これからは、門閥制度（封建社会では、出生前から人の上下貴賤《きせん》が決まっていました）が優先されるべきではない。そのことを諭吉は実践して示しました。

なにしろ、幕末から明治中期という激動の時代を生きてきた人だけに、『福翁自伝』には人生の極意《ごくい》がちりばめられています。諭吉は藩を離れて自由に生きます。大坂の適塾《てきじゅく》で学びますし、生涯三度も海外へ行っています。こうして実学《じつがく》を身に付け、国民のために実学の大切さを説きます。別の著書の『西洋事情』、『文明論《ぶんめいろん》之概略《のがいりゃく》』などはその成果です。

『福翁自伝』を読めば誰でもすぐに分かるように、諭吉は合理的なものだけを追求しただけでない、温かみがある人柄なのです。「門閥制度は親の敵《かたき》で御座る」という言葉には、父親への敬愛の念を感じます。

うんちく

私は福澤諭吉にベタ惚れです。『福翁自伝』、『学問のすゝめ』をともに、現代語訳して上梓しています（いずれもちくま新書）。『福翁自伝』は自伝の最高傑作であり、『学問のすゝめ』は国民必読の書です。

『学問のすゝめ』の冒頭の一句「天は人の上に人を造らず人の下に人を造らずと言えり」は、日本の近代の幕開けを告げる鐘となって響きました。「言えり」は「福沢流のうまいフレーズ」です。「西洋の人権思想ではそう言われている」という伝文的な書き方です。続けて、本来平等なのに差があるのは、学問をするかしないかによるのだと学問をすすめます。

『学問のすゝめ』で諭吉は「Right」を「権理」と訳していることに注目です。この語は「権利」と訳すことで定着していますが、私はこれには不満です。やはり諭吉の言うように「権理」と訳すのが正しいと思います。「理《ことわり》」なら、こちらに正統な理由があると言えるからです。これが「利」になってしまうと、自分の利益ばかり主張してもかまわない、という感じを受けるのです。たかが一字の違いとはいえ、看過できない大問題です。

吉田松陰《よしだしょういん》

『留魂録《りゅうこんろく》』（古川薫全訳注、講談社学術文庫、二〇〇二年）

「安政の大獄」処刑前日に牢内で書き上げた門下生宛ての遺書——その熱い志は弟子たちに受け継がれ、明治維新へとつながった

身はたとひ武蔵の野辺に朽《くち》ぬとも留置《とどめおか》まし大和魂《やまとだましい》

十月念五《にじゅうご》日　二十一回猛士

現代語訳

私の体はたとえ武蔵の野に滅んでしまおうとも、日本の将来のために、私の大和魂《やまとだましい》は、心ある志士《しし》に受け継いでほしい。

ポイント解説

冒頭文にある「二十一回猛士」とは吉田松陰の「雅号《がごう》」です。実家の杉家と養家の吉田家の漢字を分解したら画数が二十一になるところから、彼は死ぬまでに二十一回の行動を起こすと誓い、この雅号を使いました。

では「大和魂」とは何でしょうか。自分を突き動かす根本の想いを魂とすると、人の身は死んでも、魂は生きているのです。志を持って生きることの重要性を説いています。ささやかでも志を持って生きると、人生のどこで終わりがきても、自分にも実りのある四季があった、と納得できます。

次に引用する部分は『留魂録』でもよく知られる「四季の循環」の一節です。

「一《ひとつ》、今日死を決するの安心《あんじん》は四時《しじ》の順環《じゅんかん》に於て得る所あり。〈中略〉吾《わ》れ行年《こうねん》三十、一事成ることなくして死して禾稼《かか》の未だ秀でず実《みの》らざるに似たれば惜しむべきに似たり。然《しか》れども義卿の身を以て云へば、是れ亦秀《しゅう》実《じつ》の時なり、何ぞ必ずしも哀しまん。何となれば人寿《じんじゅ》は定《さだま》りなし、禾稼の必ず四時を経《ふ》る如きに非ず。〈中略〉若し同志の士其の微衷《びちゅう》を憐《あわれ》み継紹《けいしょう》の人あらば、乃《すなわ》ち後来の種子未だ絶えず、自ら禾稼《かか》の有年《ゆうねん》に恥ざるなり。同志其れ是れを考思せよ。」

〈大意〉私が今死を目前にして平静な心境なのは、四季のめぐりを考えたからです。私は三十歳で終わろうとしています。何も成し遂げることなく死ぬのは、穀物が花を咲かせず、実をつけなかったのに似て惜しむべきことかもしれないが、私自身は、花は咲き、実りの時を迎えたのです。なぜなら、人の寿命には定めがない。穀物の生育のように、四季を経なければならないというものではない。同志諸君、私の心あるところを憐れみ、志《こころざし》を受け継ごうとする人がいるなら、それは蒔かれた種が絶えないで、年々実っていくのと変わりはないことでしょう。同志諸君よ、どうかこのことをよく考えてほしい。

うんちく

安政《あんせい》の大獄（一八五八～五九年、安政五～六）について ひとこととしておきます。松陰は若い志士に影響を与えたとして安政の大獄に連座して処刑されますが、これは具体的には幕政批判や老中《ろうじゅう》襲撃計画とされます。この事件に連座した者は百余人にも及び、事件後かえって反幕府運動は激化して討幕を早めました。

松陰の志はあまりに過剰であったために、幕府の手には余ったようです。正直すぎた松陰は江戸伝馬町《てんまちょう》の獄で刑死します。処刑を悟った松陰が書き上げた遺書が『留魂録』です。

松陰の志は松下村塾《しょうかそんじゅく》の弟子たちに受け継がれ、明治維新へとつながったのです。松陰の強烈なあこがれに弟子たちがあこがれたのです。言葉は人を動かします。それが『留魂録』という表題に文字どおり表れています。

坂本龍馬《さかもとりょうま》

『龍馬《りょうま》の手紙《てがみ》』

（宮地佐一郎『龍馬の手紙』講談社学術文庫、二〇〇三年）

日本史上の英傑は織田信長と坂本龍馬だと断言できる——龍馬の手紙には、人間・龍馬のチャーミングな心情が溢れ出ている

（姉、乙女への手紙　文久三年六月二十九日）
この文ハ極《ごく》大事の事斗《ばかり》ニて、けしてべちゃ〳〵シャベクリにハ、ホヽヲホヽヲいややの、けして見せられるぞへ
六月廿日《はつか》あまりいくかゝけふのひハ忘れたり。一筆さしあげ申候《もうしそうろう》。先日杉の方より御書拝見仕《つかまつり》候《そうろう》。ありがたし。私事も、此《この》せつハよほどめをいだし、一大藩によく〳〵心中を見込てたのみにせられ、今何事かでき候得《そうらえ》バ、二三百人斗《ばかり》ハ私し預候得バ、人数きまゝにつかひ申候よふ相成、金子などハ少し入よふなればバ、十、廿両の事は誠に心やすくでき申候。然《しかる》ニ

誠になげくべき事ハながとの国に軍初《ゆくさはじま》り、後月より六度の戦に日本甚《はなはだ》利すくなく、あきれはてたる事ハ、其長州でたゝかいたる船を江戸でしふくいたし又長州でたゝかい申候。是皆姦吏《かんり》の夷人《いじん》と内通《ないつう》いたし候もの二て候。右の姦吏などハよほど勢もこれあり、大勢ニて候へども、龍馬二三家の大名とやくそくをかたくし、同志をつのり、朝廷より先《ま》ヅ神州をたもつの大本をたて、夫《それ》より江戸の同志はたもと大名其余段々と心を合セ、右申所の姦吏を一事に軍いたし打殺、日本を今一度せんたくいたし申候事ニいたすべくとの神

願ニて候。

ポイント解説

数多く残されている龍馬の手紙の中で、最も知られているのが、冒頭文にも出てくる「日本を今一度せんたくいたし申候」という名文句です。

これは、京都の越前藩邸《えちぜんはんてい》に村田巳三郎《むらたみさぶろう》を訪ね、時勢を論じた日に、姉・乙女《おとめ》へ認《したた》めた手紙です。この時、龍馬は二十九歳、乙女は三十二歳でした。手紙の原本は、三メートルにも及ぶ、長大なものです。

この頃、龍馬は勝海舟《かつかいしゅう》の代わりに越前藩（現・福井県）を訪ね、海軍操練所の建設費用五千両調達の約束を取り付けてきています。そうした大役を果たしたことで、自信に満ち溢れている様子が、文面からも伝わってくるようです。

一方で、外国勢力を追い払うための戦争が、長州《ちょうしゅう》（現・山口県）で行われているにもかかわらず、幕府の弱腰、一貫性のなさに、龍馬が大いに怒っていることもうかがえます。

「長州と戦っている外国の軍艦を、幕府が修理してやるのは、おかしなこと」と憤り、大名と相談し、志《こころざし》のある同志を募り、幕府の役人と戦って撃ち殺してしまおう、とまで書いています。

だからこそ「日本を今一度せんたく」と続きます。この「日本」という、藩の枠を超えた統一国家的な考え方は、当時としては大変珍しいものです。この頃、龍馬の心に「幕府という枠組みをなくす」という考え方が、芽生えたと思われます。

うんちく

わずか三十三年の生涯の間、確認されているだけでも百三十通を超える手紙を残している坂本龍馬。いずれも一級史料です。手紙が唯一の通信手段だった時代とはいえ、筆まめであったことは間違いありません。

勝海舟《かつかいしゅう》

『氷川清話《ひかわせいわ》』

（江藤淳・松浦玲編、講談社学術文庫、二〇〇〇年）

正念場を乗り切るには展望力と胆力 それに人を鑑識する透徹した眼力

おれが海舟といふ号を付けたのは、象山の書いた『海舟書屋《しょおく》』といふ額《がく》がよく出来て居たから、それで思ひついたのだ。しかし海舟とは、もと誰の号だか知らないのだ。

ポイント解説

私は中学生の頃、この『氷川清話』がとても好きで一年中持って歩いて、すっかり覚えてしまいました。中学二年生の時に父に買ってもらった思い出の一冊でもあります。勝海舟はこう言っている、という話を友達にして、またその話かとあきれられました。私の「精神の系譜」の初期段階に間違いなく勝海舟がいました。

冒頭文には海舟という号の由来が本人の口調そのままに書かれています。この本の口述筆記という形式は、話している人の雰囲気を活かすという意味ではとても価値の高い書き方です。口述筆記で書かれているおかげで、私たちは時代を超えて、実際の勝海舟の話し方や雰囲気を文章から感じ取ることができるのです。

うんちく

本書では人物批評が数多くなされています。その一端を紹介しましょう。

「おれは、今までに天下で恐ろしいものを二人見た。それは、横井小楠《よこいしょうなん》と西郷南洲《さいごうなんしゅう》とだ。〈中略〉横井の思想を、西郷の手で行はれたら、もはやそれまでだ」

坂本龍馬《さかもとりょうま》が西郷隆盛《さいごうたかもり》について、「成程西郷といふ奴は、わからぬ奴だ。少しく叩けば少しく響き、大きく叩けば大きく響く。もし馬鹿なら大きな馬鹿で、利口なら大きな利口だらう」と言った、という有名な逸話も、この本に書かれています。

そのような大人物である西郷隆盛と勝海舟が、江戸城総攻撃予定日の前日（三月十四日）、二人で膝を交えて談判したからこそ、江戸が火の海になるかどうかの瀬戸際で、無事に無血開城に持っていくことができたのでしょう。二人の談判のくだりなど、中学生の頃の私は「ああ、日本の歴史というのは、このような偉大な人物同士のぶつかり合いの中で動いてきたんだなぁ、こういう人物になりたいものだなぁ」と思いながら何度も読み返したものでした。

「政治家の秘訣は、ほかにはないのだよ。たゞ正心誠意の四字しかないよ。」「一個人の百年は、ちやうど国家の一年くらゐに当るものだ。それゆゑに、個人の短い了見《りょうけん》をもつて、あまり国家の事を急ぎ立てるのはよくないヨ。徳川幕府でも、もうとても駄目だと諦めてから、まだ十年も続いたではないか。」

勝海舟は飄々《ひょうひょう》としています。日本の歴史を左右するような偉業を成し遂げていながら、威張りもしなければ謙遜もしない。「これをやった、あれをやった、こう思った」と淡々と、でもユーモアたっぷりに記してあるのです。

「江戸城受渡しの時、官軍の方からは、予想通り西郷が来るといふものだから、おれは安心して寝て居たよ。」「おれも至誠をもつてこれに応じたから、江戸城受渡しも、あの通り立談《たちばなし》の間に済んだのサ。」

といった調子なのです。

勝海舟（幼名麟太郎《りんたろう》）は一八二三年（文政六）、江戸の本所亀沢町《ほんじょかめさわ》（現・墨田区両国）に生まれました。父親の小吉《こきち》は貧乏な幕臣でした。小吉も『夢酔独言《むすいどくげん》』（勝部真長編、講談社学術文庫、二〇一五年）という傑作自伝を残していて、息子に負けず劣らず豪快な人生だったことが窺えます。腕白小僧の人間国宝級の不良じみた彼の一生ですが、当時の市井《しせい》の人々の生き様や息づかいがありありと伝わってくる文章です。こちらも併せて読み、「この親にしてこの子あり」としみじみ感じていただければと思います。

石光《いしみつ》真人《まひと》編著

『ある明治人《めいじじん》の記録《きろく》——会津人《あいづじん》柴五郎《しばごろう》の遺書《いしょ》』

（中公新書、一九七一年／改版二〇一七年）

八十歳を超えて書かれた遺書「敗者の明治維新史」の凄味

いくたびか筆とれども、胸塞《ふさ》がり涙さきだちて綴るにたえず、むなしく年を過して齢《よわい》すでに八十路《やそじ》を越えたり。〈中略〉悲運なりし地下の祖母、父母、姉妹の霊前に伏して思慕の情やるかたなく、この一文を献ずるは血を吐く思いなり。

ポイント解説

私は十代の終わり頃、この本を声に出して読み、泣きました。大学受験時代の頃です。会津藩が、薩摩と長州によって「朝敵《ちょうてき》」の汚名を着せられ、いわば藩ごと流罪にされた悲劇を、この本を通じて知ることができました。冒頭文にあるように、これは柴五郎が八十歳を超えてから書いた遺書なのです。

七十数年前、柴五郎が十歳の頃に薩長に攻め入れられました。その時の様子が鮮明に描かれています。「城下騒然として、幼きもの集まりて遊び興ずることもなく、父兄すでに城中に入りて戻らず、邸内に笑声を聞かざること久しければ、幼な心のつい誘われて、うかうかと邸を立ち出でたり。これ永遠の別離とは露知らず、門前に送り出たる祖母、母に一礼して、いそいそと立ち去りたり。ああ思わざりき、祖母、母、姉妹、これが今生の別れなりと知りて余を送りしとは。この日までひそかに相語らいて、男子は一人なりと生きながらえ、柴家を相続せしめ、藩の汚名を天下に雪《そそ》ぐべきなりとし、戦闘に役立たぬ婦女子はいたずらに兵糧を浪費すべからずと籠城を拒み、敵侵入とともに自害して辱しめを受けざることを約しありしなり。わずか七歳の幼き妹まで懐剣を持ちて自害の時を待ちおりしとは、いかに余が幼かりしとはいえ不敏にして知らず。まことに慙愧《ざんき》にたえず、想いおこして苦しきことかぎりなし。」

　祖母、母、姉妹は、自宅に残り、自害して果てました。自害の覚悟を決めていた彼女たちは、藩と家の汚名をそそがせるために、五郎少年を家から送り出しました。幼かったとはいえ、七歳の幼い妹まで自害の覚悟を決めていたことに気づかずに家を出たことが無念だ、と彼は書いています。遺書に載っている晩年の五郎の写真を見ると、みごとな武士の面構《つらがま》えです。自ら死を前にして、初めて幼い頃の悲劇を綴ることができたのです。これは、明治維新の裏に何があったのか、武士とはどういうものなのかを教えてくれる真実の書です。

うんちく

　近世史家で会津戦争に詳しい星亮一は、著書（『会津落城――戊辰戦争最大の悲劇』中公新書、二〇〇三年）で次のように述べています。

　柴太一郎の家族は四男四朗十六歳を城に送り出したあと、家人一同、白衣をつけ仏前に集まり、先祖の霊を拝しました。母ふじ子五十歳が鬼になって祖母つね子八十一歳、嫁のとく子二十歳、娘のそゑ子十九歳、さつ子七歳の喉《のど》を突き、親戚の柴清助が介錯《かいしゃく》し、家に火を放って全員が自害して果てました。

　のちに陸軍大将になった柴五郎の実家のことです。五郎は近郊に疎開していました。家族の自害を知った五郎は「茫然《ぼうぜん》自失、答うるに声いでず、泣くに涙流れず、眩暈《めまい》して打ち伏したり」と門外不出の書に書き残しました。後年、『ある明治人の記録――会津人柴五郎の遺書』として公開され、人々の涙を誘い、会津戦争の意味を問い直す最初のきっかけとなりました。

　柴五郎は会津落城後、脱走、下僕、流浪の生活を経て、藩閥の外にありながら軍人としての頭角を現し、義和団事件では駐在武官として各国公使館の籠城戦を冷静かつ勇敢に指揮しました。これが後の日英同盟締結の布石となり、陸軍大将の栄誉を受けました。

研究者の孤独と喜びを真摯《しんし》に語る、学問の偉大さに気づかされるノーベル賞受賞者の自伝

湯川秀樹《ゆかわひでき》

『旅人《たびびと》――ある物理学者《ぶつりがくしゃ》の回想《かいそう》』

（角川ソフィア文庫、一九六〇年／改版二〇一一年）

昨年（昭和三十二年）の一月、私は満五十歳の誕生日を迎えた。つまりその日までに、私はちょうど半世紀を生きて来たことになる。

私の歩いてきた道は、普通の意味では別にけわしくはなかった。〈中略〉

しかし、「学問の道では」と聞かれると、簡単には答えられない。好運だったとも思えるが、人一倍、苦労したことも否定出来ない。何しろ原子物理学といえば、二十世紀に入ってから急速に進歩した学問である。その上げ潮の中で、自分の好きなことを自分の好きな流儀で、やって来ただけだともいえよう。ただ、私は学者として生きている限り、見知らぬ土地の遍歴者であり、荒野の開拓者でありたいという希望は、昔も今も持っている。

ポイント解説

この本は、冒頭文にあるように五十歳を過ぎた湯川秀樹が綴った精神の旅の記録であり、中間子の理論構想を発表する二十七歳頃までの心の歩みを振り返る自伝です。一九四九年（昭和二十四）、湯川秀樹の日本人初となるノーベル賞（物理学賞）受賞は戦後日本の希望の光でした。

うんちく

湯川秀樹は戦後復興を象徴する国民的英雄でしたが、その彼にしても自分のやりたいことが最初から見えていたわけではありませんでした。少年時代には、将来、物理学者になる要素ははっきりとせず、兄弟（女二人十男五人）の中で一番ぼんやりしているから、大学に行かせるのをやめようか、とお父さん（地質学者小川琢治）から思われていたような少年でした。なにしろニックネームは「イワン（言わん）」でしたから。

秀樹少年は、本はたくさん読んでいましたが、自分がこれをやりたいというものはなかなか発見できませんでした。ただ、自分の興味関心のおもむくままにいろいろなことにのめり込みます。

「雑誌『近衛《このえ》』に童話を書き、幾何学の魅力につかれ、進化論の理解に苦しみ、そして老荘の書に人生を思う。——そんな、一見不統一な少年期の心情というものは、今から思うとむしろ微笑《ほほえ》ましい。いわばレーダーを備えた船が、濃霧の中に目標物を探しているようなものだ。」

自分のレーダーに反応したものをつかまえて、それにハマってみる。自分の鉱脈というのは、そうした中で探し当てていくものなのです。

数学と物理が好きだった高校時代。書店で『量子論』という英語の本を見つけ、それまで読んだどの小説よりも面白いと感じます。たくさんの本の中から、自分のレーダーに引っかかってきたのがそれでした。

大学生活が終わる頃、方向性が見えてきました。

「私はまだ何ものでもなかった。が、私の今後の研究の方向は、一つにきまった。目に見える大きな結晶はでき上っていなかったが、結晶の核はそこにあった。」

結婚することで、ものの考え方に変化が起きます。

「未知の世界を探究する人々は、地図を持たない旅行者である。地図は探究の結果として、できるのである。目的地がどこにあるか、まだわからない。もちろん、目的地へ向っての真直《まっす》ぐな道など、できてはいない。」

どんな道に進む人にとっても、座右の銘にできそうな言葉です。

美輪明宏《みわあきひろ》

『紫《むらさき》の履歴書《りれきしょ》』（角川文庫、一九八三年）

私は九州長崎市に生まれ、十五の年までそこで育ちました。

竹久夢二《たけひさゆめじ》の長崎十二景の絵さながらに、港あり、丘あり、山あり、川ありで、その中にイスパニヤ、ポルトガル、オランダ、オロシア、支那《しな》、朝鮮、英米国人と、さまざまな国の人々を遠い祖先に持つ人々が、その面影を残した容姿や性癖、習慣で、それぞれが幻のように生活《くら》しておりました。

また、その町並みや家造りの風情は、日本風でありながら、そうではなく、そうかといって世界のどこの国のものでもない一種独得の町……そう、ちょうど、東洋と西洋の神様の間に生まれた気分屋の女神のような市でした。

昭和十年ですから、まだ、世界大戦の前で衣食住も豊かで、ロシアケーキ、支那餅《もち》を筆頭に上海《シャンハイ》のほうから送られてくる、さまざまな品物で町は賑《にぎ》わっていました。

当時、カフェーや料亭などをやっておりました私の家では、島原や天草《あまくさ》あたりから出て来た女中や女給にまじって、白系ロシアや混血児の女給達もおりました。

天主堂や丸山遊廓《ゆうかく》も石畳も無事だった頃《ころ》で、その趣《おもむき》は古い歴史を台座に美しく宝石をちりばめたようでした。町の中には、ま

構築がしっかりして内容があり、細部にまで生命力みなぎり、インパクトがある良い文章

だ昔ながらの古い建物があって私の家の隣は南座という劇場で、ドサ廻りの芝居からレビューや歌舞伎、それに日本映画からフランス映画とあらゆるものをやっていました。

ポイント解説

引用したのは、美輪明宏の自伝『紫の履歴書』の冒頭部分です。自分が生まれ育った環境がどのようなところだったかを、当時の長崎の街を描写しながら、きちんと自分と向き合って、美輪明宏という存在をくっきりと示す、生命力溢れた文章です。

文章は文体が命です。文章には二つのタイプがあります。つまり、日記のような自分に向けて書かれた主観的なものと、白書のように自分ではなく他人に向けられた客観的なものです。

どちらにもスタイルのある文章が求められています。スタイルのある文章とは、生命力と構成力があることです。良い自伝はこの両方を備えています。つまり、語るべき内容があって、しっかりした構成がなされているのが良い自伝です。言い換えると、生命力を人に伝えるには、意味内容と構築が必要であり、そのバランスが重要なのです。

『紫の履歴書』には、細部にも書き手の感性、息遣いが感じられます。この作品には、文体の細部にまで生命力が宿っているのです。構築力は訓練次第で誰でも身に付けることができますが、生命力はそういうわけにはいきません。

うんちく

美輪明宏は、歌手・俳優・作詞家・作曲家・演出家・エッセイスト、身の上相談の回答者など幅広い分野で活躍中なことはご存じでしょう。一九三五年（昭和十）、長崎市生まれです。

シュリーマン

『古代《こだい》への情熱《じょうねつ》――シュリーマン自伝《じでん》』

（村田数之亮訳、岩波文庫、一九五四年／改版一九七六年）

夢を諦めたままにしているあなたへ
子供時代の憧れを信じて、
ひたむきさを忘れずに

〝私はうぬぼれにかられてこの著書をわが身の上話からはじめるのではない。私の後半生のすべての仕事は幼少年時代の印象によって定められたこと、いや、たしかにそれらの印象の当然の結果であったことを、はっきりと説明したいと願うからである〞と、ハインリヒ・シュリーマンはその著書『イリオス Ilios』の序文に書いている。いわばトロヤやミケネの墳墓を発掘した私のすきとくわとは、幼少のときに最初の八か年をすごしたドイツの小村で早くもきたえ磨かれていたといってよい。それだから、貧しい幼少のときにたてた大計画を、人生の秋になって実行させたその財産を、どのようにして私がえたかを語るのも必ずしも無用なこととは思えない。

ポイント解説

ギリシャ神話に登場する伝説の都市トロヤを発掘したドイツの考古学者ハインリヒ・シュリーマンの自伝の冒頭部分は、少年時代の回想から書き起こされます。シュリーマンは伝説のトロヤがあったという実証を得ているわけではありません。基本は少年時代に信じていた憧れを、ロマンとして育て上げてきているだけです。いろいろ本を読み尽くして勉強していたでしょうが、軸になっているのは伝説を信じつづけ、素人ならではのひたむきさで発掘していく気持ちのみです。

この数ページ先に次のような場面があります。

「私は父からトロヤはまったく破壊されて、跡形もなく地上から消えうせたことを悲しく聞いていた。しかし当時ようやく八歳の子供であった私に、父が一八二九年の降誕祭にゲオルク・ルドヴィヒ・イェッラー博士の『子供のための世界歴史』をくれたが、その書物に、燃えあがっているトロヤのさし絵があった。そこには巨大な城壁やスカイヤ門があり、父のアンキセスを背におい、幼いアスカニアの手を引いて逃げてゆくエネアスが描かれていた。このさし絵を見て、私は喜びにあふれて『お父さん、あなたは間違っていたよ、イェッラーはきっとトロヤを見たんだ。でなければ博士がここを描けなかったでしょう』と叫んだ。」

夢を諦めないことの大切さを気づかせてくれる場面です。

うんちく

シュリーマンは専門の学者ではないにもかかわらず、大きな発見をしているところがポイントです。

無知な発掘によって遺跡を破壊したとか、勘違いがあったとか、いろいろ批判もありますが、史実は、確信してそこに一途な情熱を注いだ者の前にのみ現れます。熱い思い入れがあるから成し遂げられました。

シュリーマンは、ホメロスの叙事詩『イーリアス』と『オデュッセイア』を完璧に頭に入れていました。この詩の主な舞台を訪ね歩き、現在の地形からかつての様子に想像をめぐらせたのです。

プロの考古学者が目星をつけている場所は、シュリーマンには海から離れすぎている気がしました。彼は、トロイはもっと海岸に近い場所だと考えました。

そうやって『イーリアス』に基づいて、海からの距離を考え、山の形、丘の形を見て、ヒサルリクの丘をその場所だと特定して、発掘をします。

プロたちが見向きもしなかった古《いにしえ》の詩の場景描写を基にして、『イーリアス』の舞台をつるはしとスコップで明るみに出すことが、彼の発掘スタイルだったのです。

フランクリン

『フランクリン自伝《じでん》』

（松本慎一・西川正身訳、岩波文庫、一九五七年／改版二〇一〇年）

立志伝中の人物の自伝だが、誰にも実践できる——日常的な工夫に溢れている「十三徳」

一七七一年　トワイフォード在セント・アサフ主教の屋敷にて

息子よ。

先祖たちの逸話を集めるのは、どんな小さい逸話でも、昔から私には楽しいことだった。お前も覚えているだろうが、私がお前と一緒にイングランドへ出かけた時、いまなおその地に残っている親類の者について調べたり、旅行したりなどしたのもそのためであった。同じようにお前にとっても、私のこれまでのことを知るのは嬉しいだろう。その多くはお前がまだ知らないことなのだから。それにいま私はへんぴな田舎にいてここ一週間はずっと暇でいられるはずだから、それで一つお前のために書いてみようと思って机に向ったのである。

ポイント解説

アメリカ合衆国建国の父の一人、ベンジャミン・フランクリンの自伝は、当時ニュージャージー州知事を務めていた息子ウィリアムに宛てた語りかけで始まります。一週間のまとまった休暇に筆を執り、自身や家族にまつわる逸話が語られます。

フランクリンは引用した冒頭文の直後で、「この年になるまでかなり幸運に恵まれて日を過してきた」と記した上で、自分のように幸運な人生を送るための秘訣を記しています。

うんちく

本書でとりわけ有名なのは、フランクリンの精神的支柱となり、行動の規範となった、自らが作った「十三徳」です。十三徳は今から二百七十年ほど前に作られたものですが、その内容はいまだ色あせることなく、現代の日本人にも通用する箇所がいくつもあります。

「第一　節制　飽くほどに食うなかれ。酔うまで飲むなかれ。　第二　沈黙　自他に益なきことを語るなかれ、駄弁を弄するなかれ。　第三　規律　物はすべて所を定めて置くべし。仕事はすべて時を定めてなすべし。　第四　決断　なすべきことをなさんと決心すべし。決心したることは必ず実行すべし。　第五　節約　自他に益なきことに金銭を費すなかれ。すなわち、浪費するなかれ。　第六　勤勉　時間を空費するなかれ。つねに何か益あることに従うべし。無用の行いはすべて断つべし。　第七　誠実　詐《いつわ》りを用いて人を害するなかれ。心事は無邪気に公正に保つべし。口に出だすこともまた然るべし。　第八　正義　他人の利益を傷つけ、あるいは与うべきを与えずして人に損害を及ぼすべからず。　第九　中庸　極端を避くべし。たとえ不法を受け、憤りに値すと思うとも、激怒を慎しむべし。　第十　清潔　身体、衣服、住居に不潔を黙認すべからず。　第十一　平静　小事、日常茶飯事、または避けがたき出来事に平静を失うなかれ。　第十二　純潔　性交はもっぱら健康ないし子孫のためにのみ行い、これに耽りて頭脳を鈍らせ、身体を弱め、または自他の平安ないし信用を傷つけるがごときことあるべからず。　第十三　謙譲　イエスおよびソクラテスに見習うべし。」

フランクリンの素晴らしいところは、ただ教訓を作るだけではなく、「いかにそれを身につけるか」まで考え、実行しているところです。「道徳」を「行動」と捉え、それを繰り返すことで「悪い習慣」を止めて「良い習慣」を身につけることが必要だというのです。

第5章

共感しながら読むと心に響く「日本及び日本人」論の歴史的名著

作者は一日中「眺め暮す＝物思いにふけり」ながら過ごす――ある種の退屈さと向き合うことで人生のはかなさを受け入れてゆく

『更級日記《さらしなにっき》』

菅原孝標女《すがわらのたかすえのむすめ》

（関根慶子『新版　更級日記　全訳注』講談社学術文庫、全二巻、二〇一五年）

あづまぢの道のはてよりも、なほ奥つかたに生《お》ひ出でたる人、いかばかりかはあやしかりけむを、いかに思ひはじめける事にか、世の中に物語といふ物のあんなるを、いかで見ばやと思ひつつ、つれづれなる昼間、宵居《よいい》などに、姉・まま母などやうの人々の、その物語・かの物語・光源氏のあるやうなど、ところどころ語るを聞くに、いとどゆかしきさまされど、わが思ふままに、そらにいかでかおぼえ語らむ。

現代語訳

東北の奥のほうで生まれ育った私は、どんなに田舎者であったことか。それがどうしたことか、「世の中にはものがたりというものがあるとか。それを何とかして読みたいわ」という思いにとりつかれました。

ほかに気散じのすべもない昼間や宵の団欒《だんらん》の時、姉や継母などの大人たちが、あの物語、この物語、光源氏のすばらしさなどを断片的に話すのを聞くにつけて、ものがたりへのあこがれはつのるばかりだったが、大人たちも、私の満足がゆくほどまでにはものがたりの一部始終を、そらんじて話してくれるはずもない。

ポイント解説

「あづまぢの道のはてよりも、なほ奥つかたに生《お》ひ出でたる人」という冒頭文が有名な日記です。日記とはいえ、毎日を記録したものではなく、自分の半生を回想したものです。作者の菅原孝標女は、東国の常陸国《ひたちのくに》（現・茨城県）で、生まれ育っています。

『更級日記』といえば、読みたくてしかたのなかった『源氏物語』を手に入れてわくわくする箇所が有名です。

「はしるはしるわづかに見つつ、心も得ず心もとなく思ふ源氏を、一の巻よりして、人もまじらず几帳《きちょう》のうちに打臥《うちふ》して、引出《ひきい》でつつ見る心地、后《きさき》の位も何にかはせむ。」

〈大意〉胸をドキドキさせながら、今まではごく一部しか読めないので納得しにくく、もどかしく思っていた『源氏物語』を、第一の巻から読み始めました。誰にも邪魔されず、几帳《きちょう》の内にうち伏すようにして引き出しては見る心地を、何にたとえようか。女に生まれて最高の望みという后《きさき》の位も、問題ではありません。

うんちく

菅原孝標女《すがわらのたかすえのむすめ》は文学少女、いまで言うオタク的な少女です。光源氏《ひかるげんじ》のような人に見初《みそ》められ、「宇治十帖《うじじゅうじょう》」の姫君のように暮らしたいなどと夢見、ワクワク感に満ちていました。しかし、現実が次々に襲ってきます。三十を過ぎて宮仕えに出て、橘俊通《たちばなのとしみち》の後妻になりますが、その夫に先立たれます。

すると彼女は、悲惨な境遇になったのは仏道の修行もせず物語なぞにうつつを抜かしていたせいだと反省して半生記を書くのです。五十歳を過ぎてから、いろいろな場所に出かけて勤行《ごんぎょう》します。「あの頃は何をしていたのか」という思いが切ない回想記なのです。

『更級日記』を読んでいると、彼女は一日中、「眺め暮し」ています。つまりほとんど日がな一日物思いにふけって、朝から晩まで退屈しているのです。人の人生というのは、ある種の退屈さと向かい合うことであり、人生のはかなさを受け入れてゆくものなのかということが、しみじみ伝わってきます。

武士としての心意気を懇切丁寧にアドバイス
『葉隠』は現代にも活かせる古典

山本常朝《やまもとつねとも》

『葉隠《はがくれ》』

(和辻哲郎他校訂、岩波文庫、全三巻、一九四〇年)

武士たる者は、武道を心懸くべきこと、珍らしからずといへども、皆人油断と見えたり。その仔細《しさい》は、「武道の大意は何と御心得候や。」と問ひ懸けたる時、言下に答ふる人稀《まれ》なり。かねがね胸に落着きなき故なり。さては、武道不心掛の事知られたり。油断千萬の事なり。

武士道といふは、死ぬ事と見付けたり。二つ〳〵の場にて、早く死ぬかたに片付くばかりなり。別に仔細なし。胸すわつて進むなり。

現代語訳

武士たる者は武道を心掛けるのは当たり前だが、人は皆油断があるようだ。「武道の意味は何だと思うか」と問うた時、即座に答えられる人はまれである。それは日頃から心に弁《わきま》えたものがないからである。そこに武道についての不心得が見て取れる。油断ばかりである。

武士道とは、死ぬことである。生死を選ぶ場合、さっさと死ぬ方に行くのがいい。心を落ち着けて進め。

ポイント解説

『葉隠』は肥前国《ひぜんのくに》(現・佐賀県・長崎県)藩士、山本常朝の談話を筆録したものです。冒頭文に出てくる「武士道といふは、死ぬ事と見付けたり」は『葉隠』の中で最も有名な言葉です。武士道とは、一般的には「尽くす」とか「逃げない」とか「正々堂々」だという言葉が出てくるけれど、突き詰めて考えたら、「死ぬこと」だと胸の底から気がついた。「見付けたり」というのは、ほんとうに考え抜いたからこそ自分で気づいたということで、非常に深い表現です。

人の道は「死ぬ」と「生きる」、常に二つにわかれています。生死のわかれ道で迷った時、つねに死ぬほうへと胸が据わっていくのが武士道だと常朝は言います。

「胸が据わる」とは、心が落ち着いているということです。お臍《へそ》の下あたりの臍下丹田《せいかたんでん》に重要な部分があり、そこを中心に呼吸がしっかりと深くなった状態。胸が安らかで迷いがないという身体感覚です。

何度も二つのわかれ道に立ち、死ぬことを選んだ結果、また生きて、そして再び死ぬほうへと向かうのが武士道。大方の人の生き方は、生きるほうへ生きるほうへと向かいます。しかし、死ぬ方へ心を決めると、かえって心が安らかになり、仕事もきちんとできると山本は言います。

うんちく

『葉隠』には「的外れな死に方をするのは犬死ではないかと言う人がいるが、的外れであってもちゃんと死ねば、犬死でも恥にはならない」とも書かれています。

これこそが武士の考えです。誰もが生きていたいと思いますが、武士は違います。迷った時に「役に立つか立たないかを考えずに行動できる」のが武士なのです。

「役に立たないことが、結果として何かを生み出すこともある」という話は、現代にも通じます。「ダメかもしれないが、とりあえずやってみる」という気持ちで取り組んでみる。ペニシリンやアスピリンは偶然による発見ですが、他にも有名な発見は偶然によって生まれたものが多く、そのことで人類は救われてきたのです。

今の時代に武士道に共感するのはなかなか難しいですが、『葉隠』を自分の古典にすることはできます。「死ぬ事と見付けたり」とは、生きることにもっと覚悟を据えなさいと説いているのだと読めば、現代の私たちが活かせることもたくさんあります。

宮本武蔵《みやもとむさし》

『五輪書《ごりんのしょ》』

（渡辺一郎校注、岩波文庫、一九八五年）

この書の一か条ずつを稽古すれば兵法の道理が会得できる――そうすれば誰でも一人で十人の敵にもぜったい負けない！

兵法の道、二天一流《にてんいちりゅう》と号し、数年鍛錬《たんれん》の事、初而書物《はじめてかきもの》に顕はさんと思ひ、時に寛永《かんえい》二十年十月《かんなづき》上旬の比《ころ》、九州肥後《ひご》の地岩戸山《いわとのやま》に上り、天を拝し、観音を礼《らい》し、仏前にむかひ、生国播磨《しょうごくはりま》の武士新免武蔵守藤原《しんめんむさしのかみふじわら》の玄《げん》信《しん》、年つもつて六十。

現代語訳

兵法の道を二天一流と名づけ、長年鍛錬してきたことを初めて書物に著そうと思い立ち、寛永二十年十月上旬に肥後の岩戸山に登り、天を拝し、観音を礼し、仏前に向かうのは、播磨出身の武士である新免武蔵守藤原玄信（宮本武蔵のこと）で、年を重ねて六十歳です。

ポイント解説

宮本武蔵は剣の達人です。剣によって悟りに至り、それを『五輪書』に著して後世の人に影響を与えています。六十にして初めて奥義を書物にする。冒頭文にはその覚悟が記されています。日本人の精神の一つの到達地点として、一度は読んでおくべき古典です。

うんちく

「空《くう》」について述べた有名な部分を紹介しましょう。

「武士は兵法の道を慥《たしか》に覚へ、其外《そのほか》武芸を能《よ》くつとめ、武士のおこなふ道、少しもくらからず、心のまよふ所なく、朝々時々《ちょうちょうじじ》におこたらず、心意《しんい》二つの心をみがき、観見《かんけん》二つの眼をとぎ、少しもくもりなく、まよひの雲の晴れたる所こそ、実の空としるべき也。実の道をしらざる間は、仏法《ぶっぽう》によらず、世法《せほう》によらず、おのれ〳〵は慥《たしか》なる道とおもひ、よき事とおもへども、心の直道《じきどう》よりして、世の大かねにあわせて見る時は、其身〳〵の心のひいき、其目〳〵のひずみによつて、実の道にはそむく物也。」

〈大意〉武士は兵法の道をたしかに会得《えとく》して、その他の武芸によく励み、武士の修行すべき道（文武両道）に精通し、心迷わず、つねに怠らず、心（智恵）と意（意志）の二つの心を磨き、観（大局を見る目）・見（細心に注意する目）を研《と》いで、少しの曇りもなく、迷いの雲が晴れ渡ったところこそ、実の「空」だと知るべきです。実の道を知らないうちは、仏法にせよ、世間の法にせよ、自分だけはたしかな道と思い、良いことと思っていても、心の真実の道において世間の大きな尺度に合わせてみると、それぞれの心のひいきや目のゆがみによって、実の道にそむいているものです。

この書の内容を一か条ずつ稽古して敵と戦うことで、次第に兵法の道理を会得《えとく》することができるのだ、そして道理を会得することができたら一人で数十人の敵にも勝つことができるのだ、と述べています。たとえば、戦いの際のものの見方だとか、からだの扱い方など、武蔵が会得したものの考え方、戦い方をこの本から学ぶことができます。武蔵は「よくよく鍛錬すべし」「よくよく工夫すべし」「よくよく吟味すべし」と繰り返します。「工夫・吟味・鍛錬」を経て、「空」の認識に至るのです。

ところで、空とは何でしょうか。武蔵のいう空とは、兵法の道を正しく覚えてよく努めて、朝から修行をして、そして心の迷うところがなくなった状態です。とにかく磨いて磨いて迷いなく、きれいに鏡のようにすっきりとした状態、それが空なのです。

たとえば坐禅を通して磨く。あるいは絵を描くことで目と心が研ぎ澄まされて空を知る。その何かは芸術でなくてもいいのです。空は決してむなしさではありません。心が研ぎ澄まされているが故に、真実を映し出す心の在り方です。宮本武蔵は、武術を具体的に極めつつ、人としての高みを極めようとしたのです。

佐藤一斎《さとういっさい》

『言志四録《げんししろく》』

（川上正光全訳注、講談社学術文庫、全四巻、一九七八〜八一年）

西郷隆盛も逆境のなかで書写して座右の書とした——幅広い見識と実用的なアドバイスが詰まっている

凡《およ》そ天地間の事は、古往今来《こおうこんらい》、陰陽昼夜、日月《じつげつ》代る〳〵明らかに　四時《しじ》錯《たが》いに行《めぐ》り、其の数《すう》皆《み》な前に定れり。人の富貴貧賤《ふうきひんせん》、死生《しせい》寿殀《じゅよう》、利害栄辱《りがいえいじょく》、聚散離合《しゅうさんりごう》に至るまで一定の数《すう》に非《あら》ざるは莫《な》し。殊《こと》に未だこれを前知《ぜんち》せざるのみ。

現代語訳

天地間に起こる事がらは、昔から今まで、陰あり、陽あり、昼あり、夜あり、また太陽と月とが交互に世を照らし、四季がめぐるなど、条理がすべて前から定っている。また人が富み栄えたり、貧乏したり、長生きしたり、早死したり、もうけたり、損したり、栄誉をうけたり、はずかしめられたり、集ったり、ばらばらになったり、これらは皆、定った運命でないものはない。ただ、これを前もって知らないだけなのだ。

ポイント解説

『言志四録』の本文は千百三十三条から出来ています。講談社学術文庫版で全四巻ですから大部です。著者の佐藤一斎は江戸後期に昌平坂《しょうへいざか》学問所の儒官として儒学（朱子学）の振興に努めました。本書は後半生四十余年にわたって書かれた文語体の語録です。

物の道理を知ることの大切さを説いた冒頭文に始まり、各条には生きていく上で必要な事柄が、心に響く短い言葉で的確に表現されています。その言葉は、明治維新という変革期を迎えた時代を生きてゆく多くの日本人の心を揺さぶり、支え、励ましました。とりわけ西郷隆盛は、『言志四録』を逆境のなかで書き写し、座右の書として大事にしました。

うんちく

『言志四録』には座右の銘にしたくなるような切れ味鋭い言葉のほかにも、仕事や人づきあいのコツ、リーダーの心得など今を生きる私たちに役立つことがたくさん書かれています。いくつかの条文を引用しましょう。

「人の賢否は、初めて見る時に於て之を相するに、多く謬《あやま》らず。」（言志録39）

「少にして学べば、則ち壮にして為すこと有り。壮にして学べば、則ち老いて衰えず。老いて学べば、則ち死して朽ちず。」（言志晩録60）

「一燈を提げて暗夜を行く。暗夜を憂うること勿《なか》れ。只《た》だ一燈を頼め。」（言志晩録13）

たとえば人物観察法、つまり人をどう見抜くかです。引用した言志録39がこの問いへの手っ取り早い方法です。佐藤一斎は初対面の印象が人物観察には重要だとします。この言葉を胸に刻むことで、初対面のときに自分の感覚をフル稼働して臨むようになり、相手のイメージがより鮮明になります。

その次の言志晩録60は、『言志四録』のなかで最も知られたもので、俗に「三学の教え」といわれ生涯学習の標語となる言葉です。「少・壮・老」とは少年、壮年、老年の三つの時期ですから、人生のほとんどの時間となります。「少・壮・老」において学び続けるこの三学の教えは、人生の軸になります。「老いて学べば、即ち死して朽ちず」すばらしい言葉です。

最後に引用した言志晩録13も名言です。「道なき道を行くときは、ただ一つの灯りを頼みなさい」ということです。読んだ瞬間に映像が浮かぶ、切れ味の良いフレーズです。あなたも自分だけの一燈を見つけて、それを信じて心の支えとしてください。

九鬼周造《くきしゅうぞう》

『「いき」の構造《こうぞう》』

（岩波文庫、一九七九年／改版二〇〇九年）

「少なくとも自分は野暮にはなりたくない」と思う人は、分からないところは飛ばし読みしてでもぜひ通して読んでほしい

「いき」という現象はいかなる構造をもっているか。まず我々は、いかなる方法によって「いき」の構造を闡明《せんめい》し、「いき」の存在を把握することができるであろうか。「いき」が一の意味を構成していることはいうまでもない。また「いき」が言語として成立していることも事実である。しからば「いき」という語は各国語のうちに見出されるという普遍性を備えたものであろうか。我々はまずそれを調べてみなければならない。

ポイント解説

日本人の美意識である「いき（粋）」を見事に分析した名著の冒頭文です。「いき」とは何かを調べてみなければならない、九鬼周造の強い思いが伝わってきます。

それにしても、いき（粋）とはなんと美しい大和言葉《やまとことば》でしょうか。「あの人いきだねー」と言えば、見た目だけではなく、性格もさっぱりしていて、垢《あか》ぬけていて、かつ洒落た色気も兼ね備えたさまをいいます。たとえば、姿勢を軽く崩すのがいき、裸体よりも薄物を身にまとうのがいき、図柄では縦縞《たてじま》がいきとされます。

男女間の「いき」について九鬼は、①媚態《びたい》②意気地③諦めという三つの要素を挙げています。

媚態とは、異性を惹きつける仕草や着物の着こなしなどのことです。しかし、媚態を示してすぐに相手に

しなだれかかるのではなく、媚態を示しながらもなお相手に対して一種の反抗を示すのが意気地です。江戸時代、誰とでもすぐ寝る女は「蹴《け》ころ」、「不見転《みずてん》」とさげすまれ、金にものをいわせるだけの男は遊女からも野暮《やぼ》と馬鹿にされたといいます。意気地のないのは、男も女も卑しい奴だといわれたわけです。

そして、諦めとは執着のない、あっさりとした心持のことです。自分の思う気持ちは必ずしも叶うわけではありません。過去の恋愛経験からそうした真理を知ることで生まれる、未練のない心境にほかなりません。

若い人は恋愛すると、すぐに我を失いがちです。しかし、人生経験を積んだ男女が、引き際を意識しながら緊張感と距離感を保って相手を思う恋愛こそ「いき」だというのです。

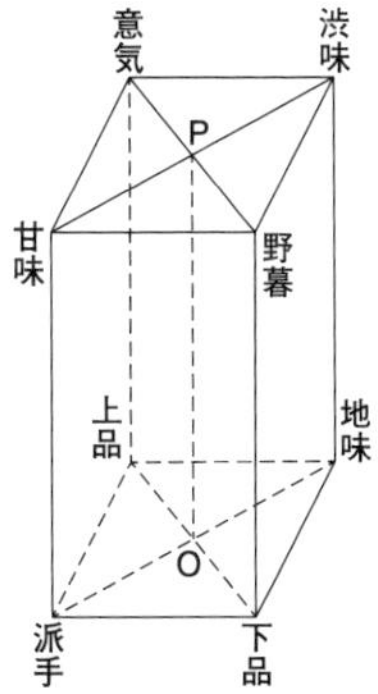

なんとも含蓄のある恋愛観です。

「垢抜して（締）、張のある（意気地）、色っぽさ（媚態）」、これが九鬼の「いき」の定義です。これほどシンプルに定義するのは、まさに「いき」です。

うんちく

本書が画期的なのは、「いき」の構造を視覚的に明らかにしている点です。九鬼は図を描き、それぞれの頂点に「意気《いき》」、「渋味」、「派手」、「地味」、「甘味」といった軸を立てます。こうすることで「いき」とはどのあたりの領域にあるか一目で分かるようにしています。

そしてこの図では、すべての頂点は隣り合う概念、向き合う概念と互いに対立関係にあるとしています。また、上面の正方形と底面の正方形においては、対角線で結びつけられるものがもっとも著しい対立関係にあると考えます。つまり、「意気」に対する「野暮」、「上品」に対する「下品」という具合です。この図を使うことによって、九鬼は日本人が持つさまざまな美意識を明快に説明することに成功しました。

新渡戸稲造《にとべいなぞう》

『武《ぶ》士《し》道《どう》』

（矢内原忠雄訳、岩波文庫、一九三八年／改版一九七四年）

かつて日本人が備えていた精神文化が学べる——あなたも一割だけ武士道で生きてみませんか

武士道《シヴァリー》はその表徴たる桜花と同じく、日本の土地に固有の花である。それは古代の徳が乾《ひ》からびた標本となって、我が国の歴史の腊葉《さくよう》集中に保存せられているのではない。それは今なお我々の間における力と美との活《い》ける対象である。それはなんら手に触れうべき形態を取らないけれども、それにもかかわらず道徳的雰囲気を香らせ、我々をして今なおその力強き支配のもとにあるを自覚せしめる。

ポイント解説

冒頭の「武士道《シヴァリー》はその表徴たる桜花と同じく、日本の土地に固有の花である」という文章は特に印象的です。古来より「花は桜木　人は武士」と言うように、日本人の精神は桜にたとえられてきました。しかし新渡戸はさらに深い意味を付与しました。ヨーロッパ人の好む薔薇《ばら》が、甘美の下に棘《とげ》を隠し、甘美な色彩と濃厚な香気を持ち、しばしば枝上に朽ちるに対し、桜はその美の下に刃も毒も持たずに、色は華美でなく、香気は淡く、いさぎよく散るのです。

うんちく

本書はもともと英語で書かれたものです。*BUSHIDO,*

*The Soul of Japan*として一八九九年（明治三十二）にアメリカで出版され、一九三八年（昭和十三）に岩波書店より翻訳出版されました。矢内原忠雄《やないはらただお》の古典的な名訳とされますが、現在ではほかにも訳書が何冊か出されており、東大史料編纂所教授だった山本博文さんの『現代語訳 武士道』（ちくま新書、二〇一〇年）もお薦めです。私も同書を引用させていただき、『1分間武士道』（SBクリエイティブ、二〇一七年）を上梓しました。

同書で山本博文はこんな指摘をしています。

「本書は、武士道を解説した書物というよりも、日本文化論の嚆矢《こうし》だと言っていい。これまで本書は、そのまま実際の武士道を解説した書物だと考えられ、この中で書かれた武士道が手放しで賞賛されることが多かった。しかし、それでは逆に、本書の真価が理解できない。これは武士道書というより、日本的思考の枠組みを外国人に示した優れた日本文化論なのである。その意味で、本書は、日本人が初めて自分で日本文化の特質を意識化した記念碑的作品であると言えよう。」

むべなるかな。まさしくこのとおりで、私がなんら追加することはありません。現代人が『武士道』をどう活用できるか、ひとこと申し述べたいと思います。

武士道と聞くとアナクロニズム（時代錯誤）の感があるかもしれませんが、日本人なら一度は読んでおきたいものです。というのも、自己コントロールの極み、言い換えればストレスから逃れる究極の手法を学べるからです。現代では百パーセント武士魂でいくというのは現実的ではありませんので、一割だけ武士道で生きるというくらいがちょうどいいでしょう。

目次を見ると、儒教の「仁義礼智忠信孝悌《じんぎれいちちゅうしんこうてい》」を彷彿《ほうふつ》とさせる言葉が並んでいます。儒教の説く人としての生き方が、武士としての生き方として消化されているのです。支配階級であった武士の生き方が庶民にまで降りてきて、社会全体に浸透していった。そういう形で日本人の倫理観・道徳観が養われたのです。

本書と同時期に岡倉天心《てんしん》が『茶の本』を、内村鑑三《かんぞう》が『代表的日本人』を、それぞれ英語で書いています。いずれも日本人の精神の強さ、文化を西欧社会に知らせることを目的として書かれているのです。

谷崎潤一郎《たにざきじゅんいちろう》

『陰翳礼讃《いんえいらいさん》』

（『陰翳礼讃・文章読本』新潮文庫、二〇一六年）

深い闇に沈む豊饒な日本古来の美を礼賛する、谷崎美学の象徴「羊羹《ようかん》の肌」

今日、普請《ふしん》道楽の人が純日本風の家屋を建てて住まおうとすると、電気や瓦斯《ガス》や水道等の取附け方に苦心を払い、何とかしてそれらの施設が日本座敷と調和するように工夫を凝らす風があるのは、自分で家を建てた経験のない者でも、待合料理屋旅館等の座敷へ這入《はい》ってみれば常に気が付くことであろう。独りよがりの茶人などが科学文明の恩沢を度外視して、辺鄙《へんぴ》な田舎にでも草庵を営むなら格別、いやしくも相当の家族を擁して都会に住居する以上、いくら日本風にするからと云《い》って、近代生活に必要な煖房《だんぼう》や照明や衛生の設備を斥《しりぞ》ける訳には行かない。

ポイント解説

日本文化を陰翳《いんえい》という観点から捉え直した名著が、谷崎潤一郎の『陰翳礼讃』です。谷崎は、陰《かげ》や闇《やみ》というものを味わうところに日本的な美学があると書いています。

冒頭文は日本家屋の話です。明治以降の日本では、照明設備を取り付けないわけにもいかず、生活から陰翳が失われていきました。現代は「明るくなり過ぎた」感があります。それによって日本人古来の美意識が失われてしまいました。『陰翳礼讃』を読むと、そのことに気づかされます。

うんちく

同書で谷崎は、ある和菓子について触れています。

「玉《ぎょく》のように半透明に曇った肌が、奥の方まで日の光りを吸い取って夢見る如きほの明るさを啣《ふく》んでいる感じ、あの色あいの深さ、複雑さは、西洋の菓子には絶対に見られない。クリームなどはあれに比べると何と云う浅はかさ、単純さであろう。」

　この和菓子は何か、お分かりでしょうか。答えは、羊羹《ようかん》です。

　クリームをそんなに敵視しなくてもとは思いつつ、羊羹一つに美しさをこんなにも味わうのかと、その表現の豊かさに感服します。まず、羊羹の表面を、「肌」と表現しているところが面白いところですね。「はだ」という大和言葉《やまとことば》には、「皮膚」のほか、「物の表面」、「その人がもっている気質や気性」という意味があるのです。

　羊羹は黒っぽい色をしていますが、半透明の「肌」が光を吸い取っているようで、複雑なグラデーションをつくっていると、谷崎は書きます。羊羹を味の善《よ》し悪《あ》しではなく、陰翳という観点で捉えているのです。

　明治の半ばから昭和の中ごろまで生きた谷崎潤一郎は、こう言っています。「われわれ東洋人は何でもない所に陰翳を生ぜしめて、美を創造するのである。」

　谷崎の言う「翳《かげ》りに美意識を感じる」とはどういうことでしょうか。たとえば、厠《かわや》（トイレ）。谷崎は、「京都や奈良の寺院へ行って、昔風の、うすぐらい、そうしてしかも掃除の行き届いた厠へ案内される毎《ごと》に、つくづく日本建築の有難みを感じる。」としています。今の時代のトイレは、どこも明るくピカピカですが、言われてみれば昔のトイレは薄暗くて寒くて、ちょっと怖い感じでした。

　私は高校生の時にこの本を読み、「道理で交響曲のなかでも短調系の曲に魅かれるはずだ。陰翳を愛していたのか」などと思ったことを覚えています。この年になって、その感がいっそう強くなりました。人生に翳りが差してくるというか、自然にゆるやかに衰えていくなかで、その翳りを味わい深く愛するのもいい。そんなふうに思えてきたからです。

坂口安吾《さかぐちあんご》

『日本文化私観《にほんぶんかしかん》』

（坂口安吾エッセイ選、講談社文芸文庫、一九九六年）

戦中なのにスパッとしたものの言い方で肝の据わり方に感服——安吾の人間性が魅力的

僕は日本の古代文化に就《つい》て殆《ほと》んど知識を持っていない。ブルーノ・タウトが絶讃する桂離宮も見たことがなく、玉泉も大雅堂も竹田《ちくでん》も鉄斎も知らないのである。況《いわ》んや、秦蔵六《はたぞうろく》だの竹源斎師など名前すら聞いたことがなく、第一、めったに旅行することがないので、祖国のあの町この村も、風俗も、山河も知らないのだ。タウトによれば日本に於ける最も俗悪な都市だという新潟市に僕は生れ、彼の蔑《さげす》み嫌うところの上野から銀座への街、ネオン・サインを僕は愛す。

ポイント解説

冒頭文は、坂口安吾の強い覚悟を示しています。私は高校生時代に、安吾にだいぶハマりました。安吾のスパッとしたものの言い方が、当時の私には非常に心地よかったのです。すごいのは、『日本文化私観』が一九四二年（昭和十七）に発表された作品だということです。戦争中に、ここまで言い切ってしまっているのは、驚くべき肝《きも》の据わり方だと思います。別の箇所も紹介しましょう。

「貫禄を維持するだけの実質がなければ、やがては亡びる外に仕方がない。問題は、伝統や貫禄ではなく、実質だ。〈中略〉寺があって、後に、坊主があるのではなく、坊主があって、寺があるのだ。寺がなくとも、良寛は存在する。若《も》し、我々に仏教が必要ならば、それは坊主が必要なので、寺が必要なのではないのである。〈中略〉古いもの、退屈なものは、亡びるか、生れ変るのが当然だ。」

こうした強く断定的な文体が、昔も今も多くの読者を引きつけているのです。

うんちく

安吾には印象的な冒頭文ではじまる作品が数多くあります。まず、『桜の森の満開の下』です。

「桜の花が咲くと人々は酒をぶらさげたり団子をたべて花の下を歩いて絶景だの春ランマンだのと浮かれて陽気になりますが、これは嘘です。なぜ嘘かと申しますと、桜の花の下へ人がより集って酔っ払ってゲロを吐いて喧嘩《けんか》して、これは江戸時代からの話で、大昔は桜の花の下は怖《おそろ》しいと思っても、絶景だなどとは誰も思いませんでした」。（『桜の森の満開の下・白痴 他十二篇』岩波文庫、二〇〇八年）

続いて『堕落論』です。

「半年のうちに世相は変った。醜《しこ》の御楯《みたて》といでたつ我は。大君《おおきみ》のへにこそ死なめかえりみはせじ。若者達は花と散ったが、同じ彼等が生き残って闇屋《やみや》となる。〈中略〉人間が変ったのではない。人間は元来そういうものであり、変ったのは世相の上皮《うわかわ》だけのことだ。」（角川文庫、一九五七年／改版二〇〇七年）

坂口安吾は太宰治と並んで若者に人気があります。ふたりは、文学史的には「無頼《ぶらい》派」と呼ばれています。既成のモラルや文学観を否定して、新しい反逆姿勢の創作を目指しました。要するに「偽善を排した野人精神」の創作態度です。しかし、作風、たとえば文体は違います。どちらかと言えば、坂口が男性的スタイルなのに対して、太宰は女性的なスタイルです。

『桜の森の満開の下』は一九四七年（昭和二十二）に発表されました。残酷小説・幻想小説の体裁で安吾の人間観、美意識の現れた野心作ですのでぜひご一読を。『堕落論』（一九四六年）も必読の傑作です。

柳田國男《やなぎたくにお》

『遠野物語《とおのものがたり》』

（『遠野物語・山の人生』岩波文庫、一九七六年／改版二〇〇七年）

この話はすべて遠野《とおの》の人佐々木鏡石君より聞きたり。昨《さく》明治四十二年の二月ごろより始めて夜分おりおり訪《たず》ね来《き》たりこの話をせられしを筆記せしなり。鏡石君は話上手《はなしじょうず》にはあらざれども誠実なる人なり。自分もまた一字一句をも加減《かげん》せず感じたるままを書きたり。思うに遠野郷《ごう》にはこの類の物語なお数百件あるならん。我々はより多くを聞かんことを切望す。国内の山村にして遠野よりさらに物深き所にはまた無数の山神山人の伝説あるべし。願わくはこれを語りて平地人を戦慄せしめよ。

日本における民俗学の出発点となる著作
神隠しや河童の話に引き込まれる

ポイント解説

『遠野物語』は、日本民俗学の可能性を開いた書であると同時に、簡潔なる短編幻想文学集です。冒頭文にあるように、これは遠野の人・佐々木鏡石《きょうせき》（喜善《きぜん》）の「語り」を柳田國男が聞き書きしたものです。こんな面白い話を聞いて、遠野のような土地を見てのち、これを人に語りたがらざる者ははたしているでしょうか。『今昔物語《こんじゃくものがたり》』とくらべても、なにしろこっちは「目前の出来事」で「現在の事実」なんだから向こうを張れる、と柳田は自負しています。『遠野物語』によって遠野郷は日本民俗学のメッカとなりました。有名な「サムトの婆《ばば》」を紹介しましょう。

「黄昏《たそがれ》に女や子供の家の外に出ている者はよく神隠《かみかく》しにあうことは他《よそ》の国々と同じ。松崎村の寒戸《さむと》というところの民家にて、若き娘梨《なし》の樹《き》の下に草履《ぞうり》を脱《ぬ》ぎ置きたるまま行方《ゆくえ》を知らずなり、三十年あまり過ぎたりしに、或る日親類知音の人々その家に集《あつ》まりてありしところへ、きわめて老いさらぼいてその女帰り来たれり。いかにして帰って来たかと問えば人々に逢いたかりし故帰りしなり。さらばまた行かんとて、再び跡《あと》を留《とど》めず行き失《う》せたり。その日は風の烈《はげ》しく吹く日なりき。されば遠野郷の人は、今でも風の騒がしき日には、きょうはサムトの婆《ばば》が帰って来そうな日なりという。」

寒戸の婆は神隠しの話です。事件や事故で人が行方不明になることは現実にも起こる話ですが、それを神隠しと捉え、河童《かっぱ》の話と同等の扱いで語り継いでいく。「私たちの世界は現実の世界だけで成り立っているのではない」という前提があります。

うんちく

柳田國男には『山の人生』という名著もあります。冒頭文を紹介しましょう。

「今では記憶している者が、私の外には一人もあるまい。三十年あまり前、世間のひどく不景気であった年に、西美濃《みの》の山の中で炭を焼く五十ばかりの男が、子供を二人まで、鉞《まさかり》で斫《き》り殺したことがあった。〈中略〉阿爺《おとう》、これでわしたちを殺してくれといったそうである。そうして入口の材木を枕にして、二人ながら仰向《あおむ》けに寝たそうである。それを見るとくらくらとして、前後の考えもなく二人の首を打ち落してしまった。」

柳田國男は一八七五年（明治八）、飾磨《しかま》県田原村（現・兵庫県福崎町）の儒者・医師の家の六男として生まれました。東京帝国大学（現・東京大学）を卒業後、農商務省（現・農水省）の官僚となって東北地方の農村の実態を調査・研究しました。全国各地の風習や口頭伝承に関する資料を蒐集《しゅうしゅう》し、高い文学的素養を駆使して独自の解釈を加え、体系立てて叙述したのです。

遠野地方の伝承は現在でも妖怪を描いた漫画などにも登場し、多くの人に知られていますが、これらは『遠野物語』で紹介されなければ、おそらく今頃は忘れ去られていたでしょう。

宮本常一《みやもとつねいち》

『忘《わす》れられた日本人《にほんじん》』（岩波文庫、一九八四年）

生涯に日本全国十六万キロを歩き、足と耳を使って聞き書き取材した民衆の習慣の貴重な記録集

伊奈の村は対馬も北端に近い西海岸にあって、古くはクジラのとれたところである。私はその村に三日いた。二日目の朝早くホラ貝の鳴る音で目がさめた。村の寄りあいがあるのだという。〈中略〉

村でとりきめをおこなう場合には、みんなの納得のいくまで何日でもはなしあう。はじめには一同があつまって区長からの話をきくと、それぞれの地域組でいろいろに話しあって区長のところへその結論をもっていく。もし折り合いがつかねばまた自分のグループへもどってはなしあう。用事のある者は家へかえることもある。ただ区長・総代はきき役・まとめ役としてそこにいなければならない。とにかくこうして二日も協議がつづけられている。この人たちにとっては夜もなく昼もない。

ポイント解説

宮本常一は、日本全国を歩き、膨大な量の民俗学的記録を残しています。七十三年の生涯に国内を合計十六万キロ、つまり地球四周分歩いて聞き書き取材したそうです。彼の代表作が『忘れられた日本人』です。

宮本が対馬《つしま》（現・長崎県）の伊奈《いな》という村で古い記録を借りたいと申し出た時の話なのですが、老人の話を聞いていると、古くから伝わる帳箱に古文書が入っ

ていることが分かりました。それを区長に頼んで書き写そうとしたものの、量があるのでしばらく貸してもらいたいとお願いをしたそうです。すると、村の寄りあいで許可をもらわないと貸せないので、待ってくれと言われますが、なかなか結論が出ません。

そこで寄りあいの様子を見にいくと、村人たちが、いろいろな議題を何度も繰り返すように話し合っていました。冒頭の引用文はこの時の様子です。

何日もかけて話し合い、最終的には、「見ればこの人はわるい人でもなさそうだし、話をきめようではないか」という老人の言葉にみなが賛同するかたちで村の記録を借りることができた、という話です。

うんちく

宮本常一は冒頭文で紹介した寄りあいについて、「このようにすべての人が体験や見聞を語り、発言する機会を持つということはたしかに村里生活を秩序あらしめ結束をかたくするために役立ったが、同時に村の前進にはいくつかの障碍《しょうがい》を与えていた」と述べています。

宮本常一の研究対象は、苦労の末に書き写すことのできた古文書だけでなく、その際に実体験することのできた寄りあいのシステムでもあったのです。そうして足と耳を使って、記録しておかないと消えていってしまう民衆の生活や感覚をたくさん集めていきました。

現代社会では意思決定が早いことが良いとされているので、寄りあいは非合理的な印象を受けるかもしれませんが、実はこうしたやり方こそが、日本人が狭い人間関係の中で、しこりをつくることなく、全員が納得する結論を出すための工夫だったと考えられます。

寄りあい的な話し合いは古代以来連綿と続いた日本的システムであるとされています。平安時代には天皇の命で意思決定がなされたのですが、実際には藤原氏が関白として意思決定を行いました。しかし、藤原氏は意思決定の責任を取りません。この巧妙な統治システムでしばらくうまくやってきましたが、日本は太平洋戦争で決定的な失敗をしました。宮本常一の指摘した障碍を、今あらためて真剣に考え直してみませんか。

第6章

アイデンティティを確立してくれる！東洋の精神文化VS.西洋の思想の名著

孔子《こうし》

『論語《ろんご》』（金谷治訳注、岩波文庫、一九九九年）

長いあいだ日本の倫理感覚の規範を担った『論語』――箴言《しんげん》が心に沁み込んでいくので子供にも絶大な人気

子の曰《のたま》わく、学びて時にこれを習う、亦《ま》た説《よろこ》ばしからずや。朋《とも》あり、遠方より来たる、亦た楽しからずや。人知らずして慍《うら》みず、亦た君子ならずや。

現代語訳

先生がいわれた。

「学び続け、つねに復習する。そうすれば知識が身につき、いつでも活用できる。実にうれしいことではないか。友人が遠くから自分を思い出して訪ねてきてくれる。実に楽しいことではないか。世の中の人が自分のことをわかってくれず評価してくれなくても、怒《いか》ったりうらんだりしない。それでこそ君子ではないか。」

（齋藤孝訳『現代語訳 論語』ちくま新書、二〇一〇年）

ポイント解説

この有名な冒頭文で始まる『論語』は、高齢になった孔子が、若い弟子たちに語った言葉をまとめたものです。今から二千数百年前の戦国時代（前四〇三年～前二二一年）のことで、全部で二十篇約五百章よりできています。有名な箇所をいくつか紹介しましょう。

「子の曰《のたま》わく、巧言令色《こうげんれいしょく》、鮮《すく》なし仁。」（先生がいわれた。「口ばかりうまく外見を飾る者には、ほとんど〈仁〉はないものだ。」）

「子の曰《のたま》わく、後世畏《こうせいおそ》るべし。焉《いずく》んぞ来者《らいしゃ》の今に如《し》かざるを知らんや。四十五十にして聞こゆること無くんば、斯《こ》れ亦《ま》た畏るるに足らざるのみ。」（先生がいわれた。「自分の後から生まれた者たちには、畏れの気持ちを抱くのが当然だ。これからの人が今の自分に及ばないと、どうしてわかる？　ただし、四十五十の年になっても評判が立たない人はもう畏れるまでもない。」）

『論語』は孔子の教育力と弟子の学ぶ意欲とが二本柱で、日本人は孔子の教えをまともに受け止めて身につけようとしました。江戸時代には一万数千の寺子屋（現在の学校）で『論語』の素読《そどく》が行われました。素読するのは生徒である一般の子供たちです。この素読で子供たちの心と体が鍛えられたのです。

うんちく

拙著『声に出して読みたい日本語』を小学校一年生のクラスで実践してくれた教師によると、子供に人気が高かったのは落語『寿限無《じゅげむ》』、『付け足し言葉』（会話のリズムを出すに有効な合いの手）と並んで、『論語』だったそうです。小学校時代というのは、人生でも倫理感覚（道徳）が一つの頂点に達する時期ではないかと私は思っています。不思議とこういう箴言《しんげん》（名言）が沁み込んでいく年頃です。

飾りすぎた言葉と表情を日々大量にテレビやネットから注ぎ込まれている状況では、「巧言令色、鮮《すく》なし仁」はいっそう重みがあります。素早い反射でものを言うことが、そう偉いわけではない。一度息を入れ換え、自分の内側で感触を確かめてから言葉にする。この「ため」が、仁を磨く砥石《といし》になるのです。

「後世畏るべし」とは、さすがに孔子ならではです。「今の若い者はなっとらん」と言いがちな凡人とは違う。人間は進歩する、次の世代・青年こそ畏敬《いけい》すべきです。ただし、誰でも若さは失われるもの。四十を過ぎて評判がたたぬようなら畏れるに足らずという言葉は、これまた孔子らしく具体的で厳しい。

『論語』を学ぶには、素読が基本です。意味を訳文で確認しつつ、音読して孔子の声を感じてみてください。関連書として、渋沢栄一『論語と算盤』、下村湖人『論語物語』、安岡正篤『論語の活学』、吉川幸次郎『「論語」の話』などの名著があります。

老子《ろうし》

『老子《ろうし》』（峰屋邦夫訳注、岩波文庫、二〇〇八年）

右手に孔子＝『論語』、左手に『老子』でバランスを取ろう——名言・名句の宝庫『老子』は五十歳からの生き方のお手本

道《みち》の道とす可《べ》きは、常の道に非《あら》ず。名の名とす可《べ》きは、常の名に非ず。名無きは天地の始め、名有るは万物の母。故に、常に欲無くして以《もっ》て其《そ》の妙《みょう》を観《み》、常に欲有りて以て其の徼《きょう》を観る。

現代語訳（峰屋邦夫訳）

これが道ですと示せるような道は、恒常の道ではない。これが名ですと示せるような名は、恒常の名ではない。

天地が生成され始めるときには、まだ名は無く、万物があらわれてきて名が定立された。

そこで、いつでも欲がない立場に立てば道の微妙で奥深いありさまが見てとれ、いつでも欲がある立場に立てば万物が活動するさまざまな結果が見えるだけ。

ポイント解説

ダイナミックな世界観、悟りの境地が感じられる冒頭文ではないでしょうか。老子の思想は、『論語』に代表される儒教《じゅきょう》思想と並んで、中国古典の一大潮流です。『論語』が徳を身につけて人として立派に生きる道を説いたのに対して、老荘思想の『老子』、『荘子』は世俗的な常識や価値観に囚《とら》われず、あるがまま無為自然《むいしぜん》に生きて充足することを重視しています。

ある意味、老荘思想は宗教的です。人間を宇宙も含めた自然の一部と捉え、「人間の思惑なんかは捨てて、自然と一体化しろ」という考えです。

誰しも若い頃は出世もしたいし、お金儲けもしたい。それに名誉もほしい。ブランド物を持ちたいし、贅沢《ぜいたく》な食事もしたい。それはもう「したいことだらけ」のオンパレードです。

しかし、五十歳を過ぎると、人間「もういいか……」という気持ちにもなります。無理して自らに禁欲を強いるまでもなく、自然と「求めない生き方」のほうにシフトしていくでしょう。そんな心境にフィットするのが老荘思想でもあるのです。

うんちく

『老子』の名言・名句、寓話《ぐうわ》をご紹介しましょう。

「上善は水の若《ごと》し。水は善《よ》く万物を利して争わず。」

最高の善とは水の動きのようなもの。水はただ低いほうに流れていくだけで従順柔弱《じゅうじゃく》だが、万物の成長を助けて、しかも何者とも争うことがないから、変形する柔らかさは最も強い、そう老子は言っています。

「柔弱《じゅうじゃく》は剛強に勝つ。」

柔軟なものは弱そうに見えて、実は相手や状況に応じて自在に対応できるので、結局は固くて融通のきかない剛強なものに勝つ、という意味です。これを男性原理と女性原理で言い表した言葉もあります。

また『老子』には、「才能のなさに感謝する」という考え方もあります。

「曲《ま》がれば則ち全《まった》く。」

曲った木のように役立たずであれば身を全《まっと》うできる、というわけです。まっすぐな木は木材にされ、早死にします。

このように、老荘思想では才能の有無とか、自分が役に立つ人間であるかどうかは、ほとんど気にしません。

「足《た》るを知る者は富む。」

今現在の満足を知ることをほんとうの豊かさとしているのです。

日本人はもともと自然になじんで暮らしてきました。ですから、「人間は自然の一部であり、今ある姿そのものがすばらしい」とする老荘思想は、あんがいなじみやすくて分かりやすいでしょう。

司馬遷《しばせん》 『史記《しき》』（小竹文夫他訳、ちくま学芸文庫、全八巻、一九九五年）

逸話を軸にした中国史オールスター人物列伝——歴史書というより一大文学作品として楽しめる

黄帝は小典の子で、姓は公孫、名を軒轅《けんえん》といった。生れつき神霊で、嬰児《えいじ》のときから、よくものを言い、幼年のころには利口ですばしこく、少年時代には落着いていて敏捷《びんしょう》であり、成年になると、すこぶる聡明であった。

ポイント解説

私は高校時代、漢文の授業で『史記』に出会い、文庫本で読みまくりました。特に「列伝」は、音読すると、青雲の志が沸き立つ高揚感を感じたものです。列伝は、老子・韓非《かんぴ》・孫子・仲尼《ちゅうに》（孔子）・孟子《もうし》・孟嘗《もうしょう》君《くん》をはじめとした、中国オールスター人物伝となっています。

冒頭文からも分かるように、それらの人物の編年体（年表的記録）ではなく、印象的な逸話を軸にした列伝体です。司馬遷自身の意見がふんだんに盛り込まれているので、歴史書というより、一大文学作品の趣《おもむき》です。

たとえば「伯夷《はくい》列伝」を見てみましょう。伯夷と叔《しゅく》斉《せい》は孤竹国《こちくこく》の王子でした。時代は殷《いん》代末期・周初め、彼ら兄弟が義を守って餓死を選ぶ話です。

司馬遷は「いわゆる天道なるものも、はたして正しいものなのかどうか。」と根本的な問いを提示します。「大義名分にかかわることでなければ憤りを発しない人物で、しかもなお禍《わざわ》いにあう者の数は枚挙にいとまがないほどである。こうした現実は、すこぶるわたしを困惑させる。」という文には、司馬遷自身を襲った過酷なる運命への、とうてい承服しがたい思いが読みとれます。

兄弟は、お互いが天子の位の相続を辞退して隣国の周へ逃れます。が、周の文王の政治は徳治ばかりではありませんでした。兄弟は山へ逃れて、蕨《わらび》を採って食べていましたが、ついに餓死しました。

司馬遷はこう言います。孔子先生は伯夷・叔斉は何も怨《うら》まず死んだとおっしゃるが、死に際しての歌からすれば、怨みがあったのではないか、と孔子へも疑義を呈しています。

次も有名な文句です。

「嗟乎《ああ》、燕雀安《えんじゃくいずく》んぞ鴻鵠《こうこく》の志《こころざし》を知らんや」

秦《しん》の末期、秦帝国滅亡の引き金となる反乱を起こした陳勝《ちんしょう》は、もとは日雇いの百姓でした。農作業の休憩時に「もし富貴の身になっても、たがいに忘れないようにしましょう」と言いましたが、周りのものに出世などするものかと馬鹿にされました。その時の陳勝の言葉が「鴻鵠の志を知らんや」です。

燕や雀のように小さいものに鴻鵠（白鳥や鸛《こうのとり》などの大型の鳥）のように大きなものの志など理解できようか、が大意です。

うんちく

司馬遷は前漢時代（紀元前一四五頃〜前八六頃）の歴史家です。五歳の頃、父の司馬談《たん》が太史令《たいしれい》に任じられ、父とともに長安へ。父から古典を学び、董仲舒《とうちゅうじょ》らにも師事しました。二十二歳の時、父が死去し、『史記』の完成を託されます。その後、中書令《ちゅうしょれい》（内廷秘書長官）に就任し、改暦を監督し「太初暦《たいしょれき》」を制定・施行します。四十七歳の時、李陵《りりょう》（当代屈指の名将で、歩兵五千を率いて十万の匈奴《きょうど》＝遊牧民をむこうに回し一万の損害を与えたが、捕虜となったことで寝返ったと誤解された）を弁護したため武帝の怒りを買い投獄されて「宮刑《きゅうけい》」を受けます。宮刑とは男根を切り取る刑罰（去勢された男子）のことです。そののち司馬遷は大赦《たいしゃ》により出獄し、『史記』全百三十巻の執筆に全力を傾けました。中島敦『李陵』、武田泰淳『司馬遷——史記の世界』もぜひお読みください。

ゴータマ・ブッダ

『ブッダのことば ――スッタニパータ』

（中村元訳、岩波文庫、一九八四年）

難解な書物の代名詞のような仏典だが 中村元訳は素朴な日本語で味わい深い

蛇の毒が（身体のすみずみに）ひろがるのを薬で制するように、怒りが起ったのを制する修行者（比丘《びく》）は、この世とかの世とをともに捨て去る。――蛇が脱皮して旧い皮を捨て去るようなものである。

ポイント解説

日本人は昔から仏教にはなじみがありますが、ゴータマ・ブッダ（釈尊《しゃくそん》、釈迦《しゃか》とも言う）の言葉を読んだことがある人は意外に少ないでしょう。

法事などで読経《どきょう》を聞くことはあっても意味は鮮明ではないし、漢訳された大乗《だいじょう》仏典はブッダの言葉そのものではありません。

ここはひとつ原点にさかのぼり、ブッダの言葉を素直な心で聞いてみましょう。なお、本書のサブタイトルのスッタニパータとは「ブッタのことば」の原語です。この中村元《はじめ》訳は素朴な日本語で味わい深いので、読むのは簡単で一日で読めます。しかし、身につけるには一生の修行を要します。とはいえ、折に触れて読むだけでも心が整います。

今日の仏教が誕生する前、悟りを開いたブッダは弟子に何を伝えようとしたのか、信仰とは関係なく、啓蒙される名言名句が多いと思います。

本書は蛇の脱皮の譬えを用いた釈迦の説法から始まります。冒頭文は人間の煩悩の一つである怒りの捨て方を説いています。このように、ブッダのメッセージはシンプルです。たとえば「他人《ひと》に従属しない独立自由をめざして、犀《さい》の角のようにただ独り歩め」、「濁《にご》りと迷妄《めいもう》とを除き去り、全世界において妄執《もうしゅう》のないものとなって、犀の角のようにただ独り歩め」と繰り返し説かれると、「犀の角のように独り歩もうか」という気にもなるのです。

うんちく

私たちは、独りを孤独でさびしいと思いがちですが、「聖者の道は独り居ること」であり、「独り居てこそ楽しめる」とブッダは言います。しっかりと中心軸を持って回り続ける「独楽《こま》」のように、軸があれば「独り」は悪いものではありません。

「能力あり、直《す》く、正しく、ことばやさしく、柔和《にゅうわ》で、思い上ることとのない者」となれ。足ることを知り聡明であれ。「一切の生きとし生けるものは、幸福であれ、安穏《あんのん》であれ、安楽であれ。」

これらのブッダのことばは、宮沢賢治の「雨ニモマケズ」を想起させます。時を超えて、ゴータマ・ブッダの魂と思想が、「ブッダDNA（遺伝子）」として人々に引き継がれてきたと感じます。

めざすは平安の境地ニルヴァーナ。執着から離れるのがそこに至る道です。「足で蛇の頭を踏まないようにするのと同様に、よく気をつけて諸々の欲望を回避する人は、この世でこの執着をのり超える。」

諸々の煩悩が消滅した状態が「安らぎ」であると知れ。

「心が沈んでしまってはいけない。またやたらに多くのことを考えてはいけない。」

「自分は勝れている」とか「劣っている」とか思ってはならない。

「古いものを喜んではならない。また新しいものに魅《み》惑《わく》されてはならない。滅びゆくものを悲しんではならない。」

ブッダとは目覚めた者です。私たちは、「百％のブッダ」は無理でも「五％のブッダ」ならはじめられます。まずはひとり静かに坐し、本書を一ページ読んで息を落ちつけてみましょう。みなが少しずつ目覚めれば、世界も平和になるのです。

孫武《そんぶ》

『孫子《そんし》』（新訂版、金谷治訳注、岩波文庫、二〇〇〇年）

現代のマネジメントへの示唆《しさ》に溢れた世界最古でかつ最高の実践的な兵法書

孫子曰《い》わく、兵とは国の大事なり、死生の地、存亡の道、察せざるべからざるなり。故にこれを経《はか》るに五事を以てし、これを校《くら》ぶるに計を以てして、其の情を索《もと》む。一に曰わく道、二に曰わく天、三に曰わく地、四に曰わく将、五に曰わく法なり。

現代語訳（金谷治訳）

孫子はいう。戦争とは国家の大事である。死活がきまるところで、存亡のわかれ道であるから、よくよく熟慮せねばならぬ。それゆえ、五つの事がらではかり考え、目算で比べあわせて、その時の実情を求めるのである。第一は道、第二は天、第三は地、第四は将、第五は法である。

ポイント解説

最近、『孫子』の兵法の人気が再浮上しています。これほどの軍事思想が紀元前五、六世紀に成立していたとは、恐るべし古代中国。では現代人は、『孫子』をどう応用すればよいか考えてみましょう。

冒頭文（計篇）は、戦争についての基本的な考え方が説き起こされています。人間関係においても、大人も子供も争いごとは日常茶飯事です。別の箇所には「彼れを知りて己《おの》れを知れば、百戦して殆《あや》うからず」（謀攻《ぼうこう》篇）といった文章が出てきます。戦うにせよ、交渉して和解するにせよ、勝つ見通しを立ててから干戈《かんか》を交えるべし、という教えです。

うんちく

孫子は、勝利する五つの要点を挙げています。

一　戦ってよい場合とそうでない場合を分別《ふんべつ》する
二　大兵力と小兵力の運用法に精通する
三　上下の意思統一
四　計略を仕組んで敵を待ち受ける
五　将軍が有能なら君主は余計な干渉をしない

一口に言えば、冷静に戦略を練り、段取りをつけることの必要です。争いごとや戦いだけでなくスポーツにも使えるはずですし、子育てにも役立ちます。

その次は戦い方です。「百戦百勝は善の善なる者に非《あら》ざるなり。戦わずして人の兵を屈するは善の善なる者なり」（謀攻篇）。有名な名言ですからどこかで聞いたことがあるでしょう。ふつうは「百戦百勝、負け知らず」が強さの証《あかし》と思いますが、孫子はこれを否定します。実際に戦うまでもなく、事前に相手に「参りました」と言わせるのが最善だと言い切ります。

「兵は拙速《せっそく》なるを聞くも、未だ巧久《こうきゅう》を睹《み》ざるなり」（作戦篇）。『孫子』は、何かトラブル（「兵」とは争い事やトラブルのこと）が発生したら、「できが良いけど遅いより、少々できが悪くても早く解決するほうがいい」と教えます。トラブルが長くなると解決が難しくなることが多いからです。ちなみに、「拙速」はここでは良い意味です。

『孫子』は、中高年のビジネスマンにはリーダー論の参考書として読まれています。組織術や交渉術について、大局観に立って役立つ考え方が述べてあります。

『孫子』が成立したのは、今から二千五百年前の古代中国です。後世の偽作《ぎさく》説もありましたが、一九七二年に山東省にある前漢時代の墓から竹簡に記された『孫子』十三篇が発掘され、解読の結果、『孫子』は伝承どおり呉の孫武の著作であることが実証されたのです。

ちなみに、武田信玄の軍旗は俗に「孫子の旗」と呼ばれるように、「風林火山」の典拠は孫子です。すなわち「其の疾《はや》きことは風の如く、其の徐《しずか》なることは林の如く、侵掠《しんりゃく》することは火の如く、〈中略〉動かざることは山の如く」（軍争篇）を借用しています。

洪自誠《こうじせい》撰

『菜根譚《さいこんたん》』

（中村璋八他訳注、講談社学術文庫、一九八六年）

儒教を主に仏教、道徳も取り込んだ心のバランスを保つための指南書

道徳に棲守《せいしゅ》する者は、一時に寂寞《せきばく》たるも、権勢《けんせい》に依阿《いあ》する者は、万古《ばんこ》に凄涼《せいりょう》たり。達人は物外の物を観じ、身後《しんご》の身を思う。寧《むし》ろ一時の寂寞《せきばく》を受くるも、万古の凄涼を取ること毋《なか》れ。

現代語訳

真理を住み家として守る者は、一時的に不遇でさびしい境遇になることがあるが、権勢におもねりへつらう者は、ある時は栄えても、結局は永遠に寂しくいたましいものだ。真理に達した人は、常に世俗を越えて真実を見つめ、死後の生命に思いを寄せる。だから、ある時は不遇でさびしい境遇になっても、永遠にさびしくいたましい権勢におもねる態度をとってはならない。

ポイント解説

『菜根譚』は十七世紀後半の明《みん》代の儒者・洪自誠が、儒教を主として仏教、道教の三つの思想、宗教の教えをもとに編んだ人生指南の書です。加賀藩（現・石川県）の儒学者林蓀坡《そんぱ》が一八二二年（文政五）に和刻本（日本で新しく木版本として作った本）として刊行し、広く愛読されています。いまだに愛されているのは、本書が人の心を整え、勇気を与えるからです。

冒頭文は、人間として歩むべき正しい道を説いています。正しいことを追求する人は不遇に遭うこともありますが、出世のためにおべっかばかり使う人の人生は内容の乏しいものです。

うんちく

本書に出てくる名言をいくつか紹介しましょう。

「静中《せいちゅう》の静《せい》は真《まこと》の静《せい》に非《あら》ず。動処《どうしょ》に静《せい》得られれば、纔《わず》かに是《こ》れ性天《せいてん》の真境《しんきょう》なり。楽処《らくしょ》の楽《らく》は真《まこと》の楽《らく》に非《あら》ず。苦《く》中《ちゅう》に楽《らく》得られれば、纔《わず》かに心体の真機《しんき》を見る。」（静かな環境で心を静かに保つことができたとしても、それは真の静かな心ではない。わずらわしい環境にあっても、心を静かに保てるようになったら、それこそが天から与えられた真の心の境地である。安楽な環境で心の楽しみが感じられたとしても、それは真の楽しみではない。苦しい環境にあっても、心が楽しめれば、はじめて心の真実のはたらきを知ることができる。）

ここでは、プレッシャーやトラブルに負けないタフな心を持てと言っています。

「伏すること久しき者は、飛ぶこと必ず高く、開くこと先なる者は、謝すること独り早し。此《こ》れを知らば、以て蹭蹬《そうとう》の憂《うれ》いを免《まぬが》るべく、以て躁急《そうきゅう》の念《おも》いを消すべし。」（鳥の中で、長く地上に伏して力を養ったものは、いったん飛び立つと、必ずほかの鳥よりも高く飛び立つことができる。花の中でも、早く開いてしまうものは、必ずほかの花よりも早く散ってしまう。この道理をわきまえていれば、人生の途中で疲れて勢いを失ってしまう心配からまぬがれることもできるし、成功を焦る心を消すこともできる。）

自分の努力と他者からの評価のあいだにはタイムラグがあって、それに耐える力が成功への鍵となると説いています。

「水滴に石も穿《うが》たる。〈中略〉道を得る者は一《ひと》えに天機《てんき》に任す。」（水の滴《したた》りによって石も穴をあけられる。道を得ようとする人は、ひたすら天の自然なはたらきに任せておればよい。）

成功は焦り過ぎてはいけない、ということです。「伏すること久しき者」になるのが成功へのポイントです。

「一生かけて石を穿つのだ」という覚悟で、地道に仕事を積み重ねている人は少ないかもしれません。しかし、そのような覚悟を持てば、自然に「天の働きに任せればよい」という気持ちになると書かれています。

『新《しん》約《やく》聖《せい》書《しょ》』（新共同訳、文春新書、全二巻、二〇一〇年）

言葉の深さと劇的緊張において不世出の古典——はじめての『新約聖書』三つの読み方

> アブラハムの子ダビデの子、イエス・キリストの系図。
> 　アブラハムはイサクをもうけ、イサクはヤコブを、ヤコブはユダとその兄弟たちを、ユダはタマルによってペレツとゼラを、ペレツはヘツロンを、ヘツロンはアラムを、アラムはアミナダブを、アミナダブはナフションを、ナフションはサルモンを、サルモンはラハブによってボアズを、ボアズはルツによってオベドを、オベドはエッサイを、エッサイはダビデ王をもうけた。
> （マタイによる福音書）

ポイント解説

「マタイによる福音書」の冒頭文はイエスの系図です。名前が列挙されていますが、ここでマタイはイエスがダビデの家系から出ていること、『旧約聖書』の預言どおりのメシアであることを示しています。

『新約聖書』にはマタイ、マルコ、ルカ、ヨハネによる四つの福音書が収められていますが、伝統的に「マタイによる福音書」が巻頭に置かれています。他の福音書の冒頭文と読み比べてみるのも面白いと思います。

はじめての方におすすめの読み方は三つあります。

一つ目は、イエスの劇的な生涯をたどった戯曲のように読むことです。聖霊によって身重《みおも》になったマリアが、ユダヤの町ベツレヘムで「救世主」と予言されたイエスを生みます。イエスは紆余曲折《うよきょくせつ》を経てガリラヤ地方のナザレに住み、ヨルダン川のヨハネのところで洗礼を受けます。最初の読みどころは、悪魔の誘惑を断ち切る場面で、キレのいい言葉で悪魔を撃退します。最後は自らを救世主と認めたことで「神への冒瀆《ぼうとく》だ」とイエスは磔《はりつけ》にされてしまうのです。

二つ目の読み方は、イエスの言葉を教えとして読むこと。名言・名句は星の数ほどあります。「マタイ」第五章では、「貧しい人々」、「義に飢え渇く人々」、「心の清い人々」、「平和を実現する人々」、「義のために迫害される人々」など、ふつうに考えると幸せからほど遠い弱者を並べて「幸いである」といいます。逆に、別のところでは「満ち足りている人は不幸である」というような言い方もしています。人生は苦難の連続だけれど、どんな状況にあっても、信仰を支えに幸せを求めて苦労することこそが幸せなのだ、ということでしょうか。味わい深い言葉です。

三つ目は、文学や絵画、音楽などに見られるキリスト教文化とからめて読むことです。文学ではたとえば、ドストエフスキーの『罪と罰』。殺人を犯したラスコーリニコフにソーニャが「ヨハネによる福音書」の「ラザロ生きかえる」を朗読する場面があります。

この場面はイエスの起こした奇跡の一つですが、このことを知っていると、ソーニャの心情がより深く理解できます。ヨーロッパ文学を読むときは、片手に『聖書』というスタイルがよいかと思います。バッハの「マタイ受難曲」もおすすめです。

うんちく

基本的なことを三つ抑えておきましょう。

その一。『聖書』を宗教書として敬遠するのはもったいない。古典の一書として読むと得るものが多いです。

その二。『旧約聖書』は全能の神ヤハウェとイスラエル民とのあいだの契約と交流の物語でユダヤ教の聖典。一方、『新約聖書』は、イエスの言行の記録でキリスト教の聖典。「マタイによる福音書」が初心者向きです。

その三。『旧約聖書』はヘブライ語、『新約聖書』はラテン語で書かれています。

デカルト

『方《ほう》法《ほう》序《じょ》説《せつ》』

（谷川多佳子訳、岩波文庫、一九九七年）

理系の世界を体系的に知るには恰好《かっこう》の入門書『方法序説』がお薦め

良識はこの世でもっとも公平に分け与えられているものである。というのも、だれも良識なら十分身に具わっていると思っているので、他のことでは何でも気難しい人たちでさえ、良識については、自分がいま持っている以上を望まないのが普通だからだ。

ポイント解説

近代の合理的知性を知りたいなら、『方法序説』を入門書としてお薦めします。いかめしいタイトルですが、文庫本で百五十ページに満たないし、難しい話は出てきません。古典のわりには読みやすいと思います。

デカルトといえば「われ思う、ゆえにわれあり」の言葉で知られていますが、本書にはそういう思考をいかにして確立したのかが記されています。

冒頭文には、良識がこの世でもっとも公平に分け与えられているとあります。この認識の地平から一歩一歩、近代科学の方法論を基礎づけていくのです。

うんちく

本書の基本姿勢は、「明らかに正しいと思うこと以外は徹底的に排除する」ということです。一見すると当たり前のことですが、その道を探求したことにデカルトの価値があります。

不安や後悔といった私たちにつきまとうネガティブ

な感情に対し、知性で戦おうというわけです。何かに悩んだら、あらゆる情報を洗い出し、疑い、徹底的に考え抜き、ひとたび結論を出したら二度と迷わない。

人生に処するアドバイスのようですが、実はこれが学問の仕組みを理解する基本的な思考法にもなっているのです。ものごとを合理的に判断するには、情報の精査と考え抜く姿勢が欠かせません。理性と知性によって世の中の真理を探求しようという試みは、理系以外の人が知っておいても損はないと思います。

デカルトは自分の思考方法を四つに絞っています。

「第一は、わたしが明証的に真であると認めるのでなければ、どんなことも真として受け入れないことだった。〈中略〉第二は、わたしが検討する難問の一つ一つを、できるだけ多くの、しかも問題をよりよく解くために必要なだけの小部分に分割すること。第三は、わたしの思考を順序にしたがって導くこと。〈中略〉そして最後は、すべての場合に、完全な枚挙と全体にわたる見直しをして、なにも見落とさなかったと確信すること。」

四つに絞るということ自体の凄さとともに、ここで着目しておきたいのは文章の分かりやすさです。第一にこれ、第二にこれ、と箇条書きに列挙していくことで、とても読みやすくなっています。

デカルトは日本でいうと戦国時代から江戸時代の人ですが、大学一年生の授業で『方法序説』を読んでもらうと、分かりやすいという反応が返ってきます。それは、文章の透明度が高いからです。要素が絞りこまれていて、まるで数学の答案を書くように文章が書かれているわけです。数学的に記述するということが最終的には文章のなかで最も的確かつ、効率のいい記述のしかたなのです。

デカルト自身の人生についてもけっこう細かく書いてあります。デカルトは書物を読破した後、「わたし自身のうちに、あるいは世界という大きな書物のうちに見つかるかもしれない学問だけを探求しようと決心し」て、旅に出たのです。そして兵士となって戦ってみたり、あるいはいろんな人々と交わることによって世の中の常識というものを得ていくのです。同時代の武蔵とイメージが重なる所があります。

エッカーマン

『ゲーテとの対話《たいわ》』

（上妻純一郎編、亀尾英四郎訳、古典教養文庫、Kindle版）

ゲーテから直接指導を受けているライブ感が最大の魅力——優れたビジネス書でもあるから、じっくり読んで欲しい

> **六月十日　火曜日　ワイマール**
> **数日前、私はここへ着き、今日初めてゲーテを訪ねた。彼は非常に親切にもてなしてくれた。その人柄の印象は、この日をわが生涯で最も楽しかった日の一日として数えたいほど深かった。**

ポイント解説

エッカーマンとゲーテ、二人の幸福な出会いの場面で本書は幕を開けます。エッカーマンは本書について、序文でこう記しています。「このゲーテとの談話や対話の蒐集《しゅうしゅう》は、主に価値があると思ったことや注意すべきことすべてを筆に写して理解しようとする、私の生来の傾向から生じたものである。加えて、あの偉大な人物と初めて会った時も、また彼と共にすでに数年を過ごした後でも、私には絶えず教えが必要であった。そこで、自分の将来のために保存しようと、好んで彼の言葉の趣旨を取って書き下ろした。」

この本は私が敬愛してやまない作品です。ゲーテが直接自分に語りかけてくれている気がするからです。時空を超えて言葉がすっと胸に染み込んできます。

うんちく

本書には、仕事の筋道を示す言葉が出てきます。

「君は困らないだけの金をつくる事が大切だ。それを君はすでに始めたイギリスの語学と文学との研究で得られるだろう。それを続けたまえ。〈中略〉だから繰り返していう、君は英語に専心し、君の力の優れたものに集中し、君に何の効果もなく君の性質にも合わない一切のものを棄てたまえ。」

小説を書こうとしているエッカーマンに対して、ゲーテはこう言います。いくら好条件でも、よけいな仕事は断って有用な仕事に力を集中させなさいと。

ドイツ人のエッカーマンに必要なのは英語を徹底的に勉強し、イギリス文学を研究することだというのです。ここでの「金」とは、一生の資本のこと。つまり小説を書くための強固な基礎ができる。ゲーテはいたずらに能力と労力を浪費することを戒めているのです。

ゲーテは制限する技術についても語っています。

「結局のところ、自己を制限し孤立することこそが最大の技術だよ。」

いろいろと手を広げず、ひとつの専門に集中する。自分の力をうまく制限して注ぎ込むことが重要だというのです。構想ばかり大きくて、結局なにひとつ達成できずに不毛感に陥ってしまうことは、ビジネスでもよくあることです。まずは小さなことから取りかかり、それを完成させてから次第に大きなものを手がけるようにする。そうすれば達成感も得られるし、技術も上達していくというわけです。これはゲーテによる上達の極意です。

ゲーテは自分のある詩について、「その材料は四十年間も心に留めていたので、いつとなくすべての不純なものを精錬できるようになったのだ」と言い、「詩はすでに言葉からできている。その上に言葉を加えたら、他の言葉の力を打ち消してしまうね」と語っています。言葉はまさに宝石のように磨かれるのです。

『ゲーテとの対話』は長大ですが、難しいことばはパスして、自分にピンとくる言葉を拾いながら、自分なりの格言集をつくるイメージで読むといいと思います。

旧制高等学校の生徒たちは、『若きヴェルテルの悩み』を読んで疾風怒濤《しっぷうどとう》の青春の恋愛に身を浸し、『ファウスト』を読んで人生の深淵をのぞき込んだのでした。ゲーテは光に対して現象学的な考察を行い、植物も研究し、ヴァイマル公国の宰相を勤めた政治家でもありました。まさに世界をリードする教養人だったのです。

ニーチェ

『この人《ひと》を見《み》よ』

（手塚富雄訳、岩波文庫、一九六九年）

時代に対峙して気概の現れを見せるニーチェ最後の著作――でも臆することなく、元気が出ない時には進んで読んでみよう

［なぜわたしはこんなに賢明なのか］

わたしという存在の幸福、おそらくはその無比な点は、わたしの負うている宿命から来ている。そのことを謎めいた形式で言い現わすなら、わたしは、わたしの父としてはすでに死んでおり、わたしの母としては生きつづけていて、年を重ねているのである。この二重の素姓、いわば生命のはしごの最上段と最下段から由来していて、デカダン的であると同時に発端であるということ――このことが、おそらくわたしの特徴とも言えるであろう

［なぜわたしはこんなに利発なのか］

――なぜわたしは、若干のことを人並以上に知っているのか？　なぜわたしは、総じてこのように利発なのか？　わたしは問題でないような問題について思いをめぐらしたことは、かつてない――わたしは自分を浪費しないのだ。

［なぜわたしはこんなによい本を書くのか］

わたしはわたし、わたしの著書はわたしの著書、両者は別物である。

ポイント解説

本書の冒頭に置かれた三章分の書き出しを並べてみ

ました。これまでの自分の思想と著作についてニーチェ自身が語っているのです。こうした極端に感じる表現も、ニーチェがあえて危険を冒しながらも時代と対《たい》峙《じ》した現れでしょう。ニーチェはこの一年後に精神的に破局してしまいます。そのスレスレの本気が伝わってきて、心に元気が湧いてきます。

うんちく

有名な『ツァラトゥストラ』（手塚富雄訳がおすすめ）については、『この人を見よ』の序言でこう書いています。

「わたしはこの書で、これまで人類に贈られた最大の贈り物をした。〈中略〉それはまた、真理のもっとも内奥のゆたかさから生まれ出た最深の書であり、つるべをおろせばかならず黄金と善意とがいっぱいに汲み上げられてくる無尽蔵の泉である。」

この言葉は誇大ではありません。私は数十年来、大学で教師志望の学生たちと一緒にこの本を音読しています。音読にふさわしい文体なのです。音読したのちには学生たち全員の顔が生き生きとしてきますし、口調がどことなくツァラトゥストラっぽくなります。

「神は死んだ。人間への同情のゆえに死んだのだ。」

これはニーチェの最も有名な言葉ですが、ニーチェが否定したのは、イエス・キリストそのものではなく、キリスト教会やそれにまつわるキリスト教文化なのです。

ではなぜニーチェはそう考えたのでしょうか。それはキリスト教が良いとするものは、天上の神の世界にあり、人間はちっぽけな存在で、地上に生きている自分を自己肯定しにくい状況になっていたからです。

そのためには、人間的な弱さを乗り越える超人にならなければならない、とニーチェは言います。

では超人とは何か。超人とは、超能力者なんかのことではありません。今の自分をたえず乗り越えてゆくもののことです。

ニーチェは厳しく叱りつけながら励ましてくれます。皆さん、元気がない時にはニーチェを読みましょう。

第7章

別の読み方でも、読み直してみたい！児童文学の名作

中勘助《なかかんすけ》

『銀《ぎん》の匙《さじ》』（角川文庫、一九八九年／改版二〇一四年）

吟味された自然な文体が、時を超えて読む者の心の深みに流れ込み癒される

私の書斎のいろいろながらくたものなどいれた本箱の引き出しに昔からひとつの小箱がしまってある。それはコルク質の木で、板の合わせめごとに牡丹《ぼたん》の花の模様のついた絵紙をはってあるが、もとは舶来の粉煙草《こなたばこ》でもはいってたものらしい。なにもとりたてて美しいのではないけれど、木の色合いがくすんで手ざわりの柔らかいこと、ふたをするとき　ぱん　とふっくらした音のすることなどのために今でもお気にいりのもののひとつになっている。なかには子安貝《こやすがい》や、椿《つばき》の実や、小さいときの玩《もてあそ》びであったこまこましたものがいっぱいつめてあるが、

そのうちにひとつ珍しい形の銀の小匙《こさじ》のあることをかつて忘れたことはない。

ポイント解説

本書は自伝的作品ですから、一八八五年（明治十八）生まれの勘助の少年時代の東京神田が舞台で、当時の風俗が満載です。物語は、古い茶箪笥《ちゃだんす》から銀の匙を見つけるところから始まります。生来の虚弱のため叔母《おば》さんが子供の小さな口用にと探してくれた匙です。この叔母さんの勘助への溺愛《できあい》が、物語世界を温かく包み込んでいます。暗唱朗唱文化を仕込んだのも、この叔母さんです。

文庫本の解説を担当した小説家の川上弘美は『ふた

をするとき　ぱん　とふっくらとした音のする』とは、なんと美しい言葉の流れだろう」と書いています。

次に、近所の美少女お蕙《けい》ちゃんとの心ときめく場面を紹介しましょう。泣きまねが上手な気ままなお蕙ちゃんの機嫌をとりながら一緒にいるのが、なにより幸せな時間でした。

「そのときなにげなく窓からたれてる自分の腕をみたところ我れながら見とれるほどに美しく、透きとおるように青白くみえた。それはお月様のほんの一時のいたずらだったが、もしこれがほんとならば　と頼もしいような気がして『こら、こんなにきれいにみえる』といってお蕙《けい》ちゃんのまえへ腕をだした。『まあ』そういいながら恋人は袖《そで》をまくって『あたしだって』といって見せた。しなやかな腕が蠟石《ろうせき》みたいにみえる。二人はそれを不思議がって二の腕から脛《はぎ》、脛から胸と、ひやひやする夜気に肌《はだ》をさらしながら時のたつのも忘れて驚嘆をつづけた。」

月の光に、蠟石《ろうせき》のように柔らかい白い肌をさらし合う。冷や冷やと肌に気持ちよい夜の空気の感覚と、幼いながらも熱い官能的な血流の感覚とがともに伝わってくる描写です。身体感覚は古びない。観念や言い古された表現にとらわれずに自分の身体感覚を頼りに綴られた文章は、今もって香気を失いません。

うんちく

『銀の匙』は、密封純粋培養空間の傑作です。子供時代のはかない感情世界が、瓶詰めのはちみつのように密封されています。時が経っても変質しにくい。『銀の匙』の前篇は一九一二年（明治四十五）に書かれましたが、今読んでもまったく古くささを感じさせません。吟味《ぎんみ》された自然な文体は、時を超えて読む者の心の深みに流れ込んできます。子供の頃というのは各人さまざまなようでいて実は、傷つきやすく密度の高い感情世界が地下水のようにつながりあっています。

この作品の価値を最初に認めたのは夏目漱石です。一高、東京帝大での恩師である漱石が激賞し、朝日新聞社に推薦しました。漱石の鑑識眼には恐れいります。

宮沢賢治《みやざわけんじ》

『銀河鉄道《ぎんがてつどう》の夜《よる》』

（新潮文庫、一九八九年）

「ではみなさんは、そういうふうに川だと云《い》われたり、乳の流れたあとだと云われたりしていたこのぼんやりと白いものがほんとうは何かご承知ですか。」先生は、黒板に吊《つる》した大きな黒い星座の図の、上から下へ白くけぶった銀河帯のようなところを指《さ》しながら、みんなに問《とい》をかけました。

カムパネルラが手をあげました。それから四五人手をあげました。ジョバンニも手をあげようとして、急いでそのままやめました。たしかにあれがみんな星だと、いつか雑誌で読んだのでしたが、このごろはジョバンニはまるで毎日教室でもねむく、本を読むひまも読む本もないので、なんだかどんなこともよくわからないという気持がするのでした。

死者たちの列車で旅するジョバンニの心の言葉に、作者賢治の切ない思いが重なる

ポイント解説

物語は学校で先生が教室のみんなに問いかける場面から始まります。ジョバンニはそれが星だと分かっていましたが、言葉に出すことができません。この後、先生はカムパネルラを指しますが、カムパネルラも答えられません。ジョバンニは、カムパネルラが自分を気遣って答えなかったのが分かったので悲しくなるのです。

そして物語の終わり近く、死者たちの列車である銀

河鉄道で旅するジョバンニの心の言葉が出てきます。

「(どうして僕はこんなにかなしいのだろう。僕はもっとこころもちをきれいに大きくもたなければいけない。あすこの岸のずうっと向うにまるでけむりのような小さな青い火が見える。あれはほんとうにしずかでつめたい。僕はあれをよく見てこころもちをしずめるんだ。)ジョバンニは熱《ほて》って痛いあたまを両手で押えるようにしてそっちの方を見ました。(ああほんとうにどこまでもどこまでも僕といっしょに行くひとはないだろうか。カムパネルラだってあんな女の子とおもしろそうに談《はな》しているし僕はほんとうにつらいなあ。)ジョバンニの眼はまた泪《なみだ》でいっぱいになり天の川もまるで遠くへ行ったようにぼんやり白く見えるだけでした。」

隣にいるカムパネルラは、ジョバンニは気づいていないけれども、実はすでに死者なのです。生者であるジョバンニは、やがてひとり列車を降りて現実に戻ります。妹のトシ子とどこまでも一緒に行きたかったのに、死んでしまって行けなくなった賢治の切ない思いがジョバンニに重なります。

うんちく

『銀河鉄道の夜』に賢治は死ぬまで手を入れ続けたと言われています。なぜでしょうか。それは妹トシ子への祈りだったからだと私は考えます。

妹のトシ子は、賢治にとって、自分の仕事の最大の理解者であり、敬愛する人格者であり、いわば魂の伴侶でした。その最愛の女性を失う悲しみは、『無声慟哭《むせいどうこく》』五篇の詩となり残されました。

カムパネルラのモデルとして、親友の保阪嘉内《かない》も挙げられます。向上心を高め合う友情の関係性が二人の間にはありました。

賢治の名詩『雨ニモマケズ』は、半世紀以上にわたる日本の暗唱文化の砦《とりで》です。一九三一年(昭和六)、死の二年前に病床で書かれました。人の心にすっと入り、刻み込まれて消えることのない力を持った言葉です。

私が好きなのは「ジブンヲカンジョウニ入レズニ」というところです。シンプルな日常的表現に、むしろ賢治の宗教性のすごみを感じさせられるのです。

豊田正子《とよだまさこ》

『新編《しんぺん》 綴方教室《つづりかたきょうしつ》』

（山住正己編、岩波文庫、一九九五年）

屈託のない明るさ、よく観察したからこその描写力——少女がありのままを書き高い評価を受け共感を呼ぶ

〔もものせっく〕
もものせっくも近づきました。私が学校へ来る道の、さかのりょうりやに、うめの花がぱっとさいていました。今日見たら、もうじきしおれかかっていました。私はなんだかさみしいきもちがしました。

ポイント解説

綴方《つづりかた》（作文）によって教育の改革をはかろうとする民間の教育運動に生活綴方運動があります。大正から昭和初期にかけて展開し、太平洋戦争中の中断を経て、戦後になって復活しました。綴方を実践した生徒のひとりに豊田正子がいます。

冒頭文として引用したのは、豊田正子が指導を受ける前、小学三年生のときに綴った文章です。指導教師の大木顕一郎は、「極めて平凡な小篇」としつつも、「評点欄には朱の二重丸がついている」とし、「処女地に鍬《くわ》を打込む喜び」を感じていたと記しています。豊田は指導を受けながら生き生きと文章を綴りつづけ、児童雑誌『赤い鳥』にも掲載されるようになります。

うんちく

盛んになりつつあった生活綴方運動のなかで、東京の下町の小学校教師の指導で書いた彼女の作文集が『綴方教室』という本にまとめられて一九三七年（昭和十二）に刊行されると、たちまちベストセラーになり、映画化もされ、本人朗読によるレコードも発売されました。川端康成にも絶賛されました。

次に紹介する「大晦日《おおみそか》」という文章はこまかい具体的な描写があって、当時の子供の生活はこんなふうだったんだな、子供の目に見えている家族はこんなだったんだなということが手に取るように分かると思います。やや長めの引用になりますが、ぜひ読んで味わってみてください。

「二年生の夏休み頃から、ブリキ屋は不景気になり始めた。材料もさっぱり店に飾らなくなったし、壁に下っている道具数もだん〳〵と減っていった。毎日、がらんとした仕事場に、父《とう》ちゃんの自転車が、うす埃《ぼこり》を浴びていた。

この年の大晦日の晩のことだった。〈中略〉浅草の得意先へ借金に行った父ちゃんは、八時頃になって、しょんぼり戻って来た。〈中略〉『俺にゃ、とてもこんなこたあ出来ねえよ。お得意先の旦那《だんな》の前で、暮でござい、金がありません、ゼニ貸してくれろ、こんなこたあ言えるもんかい。前におめえ、幾らかでも仕事してあんなら別だけどよ。』『あれ、そんじゃ一銭も借りて来なかったのかい。』母ちゃんが慌《あわ》てて訊《き》き返すと、父ちゃんは、返事もしないで舌打《したうち》した。〈中略〉『正公、平田さんの家はこの近くなんだよ。今な、母ちゃんが家教えっから、お前一人で行って来てくれよ。さっき書いた手紙を持ってな。』〈中略〉『何だか、この手紙じゃはっきりしないけど、ブリッキ屋さん怪我《けが》したんだってね、どこ怪我したの。』と、大きな目で私の顔を見た。私は知らないことを訊《き》かれて、『あのう、足、怪我したの。』おど〳〵しながら言った。〈中略〉

私は息をハア〳〵させて、『貸してくれたよ、この中に入ってるって。』と紙包を差出した。母ちゃんは目をキラ〳〵させて、『貸してくれたって。ほんとかい。』と驚いたような様子で、ねんねこの大きな袖《そで》から手を出した。母ちゃんは包を開いて、お金を眺めると、急にこわばった真面目《まじめ》な顔になった。そして、『ほんとだ。』と呟《つぶや》いて、何か考え込みながら、蟇口《がまぐち》の中へ押しつけるように入れた。」

小学生が書いたものですが、読むたびに本当に胸を打たれます。

壺井《つぼい》栄《さかえ》

『二十四《にじゅうし》の瞳《ひとみ》』

（新潮文庫、一九五七年／改版二〇〇五年）

小説が映画化されて、観た日本人はみな泣いた――「このひとみをどうしてにごしてよいものか」

十年をひとむかしというならば、この物語の発端《ほったん》はいまからふたむかし半もまえのことになる。世の中のできごとはといえば、選挙の規則があらたまって、普通選挙法《ふつうせんきょほう》というのが生まれ、二月にその第一回の選挙がおこなわれた、二か月後のことになる。昭和三年四月四日、農山漁村の名がぜんぶあてはまるような、瀬戸内海《せとないかい》べりの一寒村へ、わかい女の先生が赴任《ふにん》してきた。

百戸あまりの小さなその村は、入り江《いりえ》の海を湖のような形にみせる役をしている細長い岬《みさき》の、そのとっぱなにあったので、対岸の町や村へいくには小船でわたったり、うねうねとまがりながらつづく岬の山道をてくてくあるいたりせねばならない。交通がすごくふべんなので、小学校の先徒は四年までが村の分教場《ぶんきょうじょう》にいき、五年になってはじめて、かた道五キロの本村《ほんそん》の小学校へかようのである。

ポイント解説

物語は瀬戸内海べりの寒村に若い女性教師が赴任してきたところから始まります。冒頭文に描かれているのは、舞台となった小村の風景です。

この小説は終戦から七年後に発表されました。物語の発端となる一九二八年（昭和三）は、日本が戦争へと突き進む中、治安維持法が強化された年です。島の岬の分教場に集った個性豊かな一年生十二人と新人教師の大石先生とのふれあいを軸に、歴史のうねりに飲み込まれる苦悩、戦争の悲惨さを描いた作品です。

小説は一九五二年（昭和二十七）に発表されてベストセラーになります。その二年後に、木下恵介《けいすけ》監督・高峰秀子主演で、映画化され大ヒット、しばらく〝二十四の瞳〟ブームが続きました。

うんちく

この話の読みどころを二か所紹介します。

「はたらくことしか目的がないようなこの寒村の子どもたちと、どのようにしてつながっていくかと思うとき、一本松をながめてなみだぐんだ感傷は、はずかしさでしかかんがえられない。きょうはじめて教壇に立った大石先生の心に、きょうはじめて集団生活につながった十二人の一年生のひとみは、それぞれ個性にかがやいてことさら印象ぶかくうつったのである。このひとみを、どうしてにごしてよいものか。」

大石先生の決めセリフ「このひとみを、どうしてにごしてよいものか。」がカッコよく響きます。このシーンは前半のハイライトです。

「なああ大吉、おかあさんはやっぱり大吉をただの人間になってもらいたいと思うな。名誉の戦死なんて、一けんにひとりでたくさんじゃないか。死んだら、もとも子もありゃしないもん。おかあさんが一生けんめいにそだててきたのに、大吉あそない戦死したいの。おかあさんがまいにちなきのなみだでくらしてもえいの？」

退職した大石先生は結婚して二男一女を育てますが、夫も戦死した大石先生は、成人した息子の大吉に赤紙《あかがみ》（召集令状《しょうしゅうれいじょう》）がきました。「名誉の戦死をしたい」と言う大吉を、泣きながら戒めます。作者の壺井栄は、ナップ（日本無産者連盟）という共産党系の文学団体の幹部ですが、この本はゴリゴリの反戦小説ではありません。この感慨は当時の普通の母親のものです。このシーンは後半のハイライトです。

アンデルセン

『みにくいあひるの子《こ》』

（高橋健二訳、完訳アンデルセン童話集2、小学館、一九八六年）

作品は童話に託されたアンデルセンの自伝。『即興詩人』だけではない、名作の数々

いなかは、ほんとうにきれいでした。それは、夏のことでした！　小麦は黄色く、からす麦は青く、ほし草は緑の牧場に高くつまれていました。そのあいだをこうのとりが、長い足で歩きまわりながら、エジプト語でペチャクチャおしゃべりをしていました。このことばは、お母さんから教わったのでした。畑と牧場のまわりは、大きな森で、森のまん中に、深い湖がいくつもありました。なんともいえず、美しいいなかの景色でした。

　そこに、明るい日の光をあびて、古いお屋敷がありました。〈中略〉そこに一わのあひるが巣にすわって、ひなをかえそうとしていました。〈中略〉とうとう、大きなたまごがわれました。「ピー！　ピー！」と、ひよこはいって、はいだしました。とても大きくて、みにくい子でした。

ポイント解説

　アンデルセンの童話で一番有名といってもよいのが『みにくいあひるの子』でしょう。冒頭文にあるように、舞台は夏の田舎の古いお屋敷です。あひるの巣で一番大きな卵から生まれたのは、みにくい雛でした。仲間にいじめられ、死をも覚悟しますが、やがて自分が白鳥だと知り、幸せに暮らしたというお話です。

『みにくいあひるの子』は、早くに父親をなくし、夢をあきらめ、孤独な日々を送ったアンデルセンが自らの人生を重ね合わせた作品です。しかし、不幸な人をはげますために書かれたわけではありません。童話を通して人生の真実を描くのが目的だったのです。

アンデルセンは一八〇五年、デンマークの田舎で生まれました。家はまずしい靴職人でした。彼の出世作は三十歳の時に出版した『即興詩人』で、大人向けの恋愛小説です。本作が、日本で翻訳されたのは一八九二（明治二十五）年でした。森鷗外の格調高い訳で、たちまちベストセラーになります。

うんちく

アンデルセンにはほかにも名作がたくさんあります。以下に紹介するのは、『親指ひめ』の冒頭部分です。

「むかし、ひとりの女の人が、小さい子どもをたいそうほしがっていました。が、どこにいったら、子どもがさずかるか、わかりませんでした。そこで、年よりの魔法使いの女のところへいって、『小さい子どもが、ぜひほしいんです。どこにいったらさずかるか、教えてくださいませんか』といいました。『ああ、そりゃ、おやすいご用じゃ！』と魔女はいいました。『それ、この大麦のつぶを、おまえさんにあげるよ。これは、お百姓の畑にはえるのや、にわとりがえさに食べるのとは、品がちがうんだよ。これを、植木ばちにまいておくと、何かが見られるよ！』〈中略〉花のまん中に、緑のめしべの上に、それはそれは小さい女の子がすわっていました。親指より大きくはありませんでした。それで〝親指ひめ〟と呼ばれました。」（高橋健二訳、完訳アンデルセン童話集1、小学館、一九八六年）

この『親指ひめ』をアンデルセンの代表的な童話とする方も少なくありません。いや、『雪の女王』が上だという方もいらっしゃいます。こちらはアニメの原作（『アナと雪の女王』）で有名になりましたよね。

ここで紹介した作品は有名な高橋健二訳、しかも八巻がすべて完全訳という贅沢なつくりとなっています。大人の方はぜひこれで読み直してください。

モンゴメリ

『赤《あか》毛《げ》のアン』

（村岡花子訳、新潮文庫、二〇〇八年）

裏地として古典が満ちている児童文学の名作は味わい深い――『赤毛のアン』の原文は子供向けではなく大人向けの文体

アヴォンリー街道《かいどう》をだらだらと下って行くと小さな窪地《くぼち》に出る。レイチェル・リンド夫人はここに住んでいた。まわりには、榛《はん》の木が茂《しげ》り、釣浮草《レディーズ・イアー・ドロップス》の花が咲き競い、ずっと奥《おく》のほうのクスバート家の森から流れてくる小川がよこぎっていた。森の奥の上流のほうには思いがけない淵《ふち》や、滝《たき》などがあって、かなりの急流だそうだが、リンド家の窪地に出るころには、流れの静かな小川となっていた。それというのも、レイチェル・リンド夫人の門口《かどぐち》を通るときには、川の流れでさえも行《ぎょう》儀《ぎ》作《さ》法《ほう》に気をつけないわけにはいかないからである。リンド夫人が窓ぎわにすわり、小川からこどもにいたるまで通行のもの全部にするどい監督《かんとく》の目を光らせていて、ちょっとでも腑《ふ》におちない点やふつごうなところを見つけたが最後、その理由を根ほり葉ほり、さぐりださずにはおかないということを、川の流れのほうでもわきまえていたのかもしれない。

ポイント解説

モンゴメリの『赤毛のアン』は、冒頭文に描かれているようにカナダ・プリンスエドワード島の村アヴォンリーが舞台の小説です。日本ではアニメ化されるなどしてアンの魅力的なキャラクターに人気が高まり、多くの子供たちに愛されてきました。児童文学の名作とされることが多いですが、もともとはヴィクトリア朝の大人向けに書かれています。シェイクスピア劇や『聖書』などの古典がふんだんに引用された、まさに大人が味わうべき魅力に満ちた作品なのです。

うんちく

　名作と呼ばれる作品には、多くの古典が潜んでいます。それは、名作を残すほどの作家であれば古典の素養が血となり肉となっており、それが作品の質を高めているからです。また、読者へのサービスとして、謎解き問題のように古典を潜り込ませることもよくある手法です。言い換えれば、表に出る文章の裏地として、古典がぜいたくに使われているのが名作なのです。

　『赤毛のアン』は冒頭文を引用した村岡花子の訳のほかにも、掛川恭子（講談社文庫、二〇〇五年）、松本侑子《ゆうこ》（集英社文庫、二〇〇〇年）らの翻訳があって、いずれも味わいがあります。松本侑子訳『赤毛のアン』の「訳者によるノート――『赤毛のアン』の秘密」によれば、レイチェル、マシュー、マリラといった登場人物の名前はいずれも『聖書』ゆかりのもので、アンが自分の名前であってほしかったという「コーデリア」は『リア王』にちなんだものだそうです。

　松本はあとがきでこうも書いています。「『赤毛のアン』には、古くは古代ローマにまでさかのぼる英米文学の長い歴史の中で、さまざまな詩人たちが書き残した情熱が、ゆたかにこめられていることを感じていただきたい。数千年もの文学の伝統の厚みが、この一冊にこめられていることに、訳者として何度も感動を覚えた」

　こうした研究者や翻訳家たちの古典愛に満ち溢れた地道な努力の賜物を、安価な文庫本で手軽に読める日本の読者はとても恵まれていると言ってよいでしょう。

　子供向けの名作は、別の読み方をすれば大人向けの名作でもあります。本書では『ハイジ』、『ガリヴァー旅行記』、『ロビンソン・クルーソー』も紹介しています。

子供の読物を大人の歴史理解で振り返れば
十九世紀のスイスが分かり味わい深い名作

ヨハンナ・シュピリ

『ハイジ』

（上田真而子訳、岩波少年文庫、全二巻、二〇〇三年）

のどかな、古い、小さな町マイエンフェルトから、一本の小道がのびていました。小道は木の多い緑の野原をとおって、堂々と、いかめしくこちらの谷を見おろしている高い山々のふもとまでつづいていました。道がのぼりにさしかかると、まもなくあたりは短い草の生えたごつごつした地面になり、山の草花のつよい香りが匂ってきます。というのも、この道はそのままアルプスの高原へ行くかなり急な道なのでした。

その細い山道を、あかるい、太陽いっぱいの六月のある朝、見るからにこの山地の人らしいいたくましくて大がらな女が、女の子の手をひいてのぼっていました。女の子はすっかり日焼けしたほおをさらに赤くほてらせていました。無理もありません。この暑い六月の太陽が照りつけるなかを、きびしい寒さにそなえるかのように、厚着をさせられていたのです。

ポイント解説

名作の冒頭は風景描写からはじまるものが多いですが、『ハイジ』もそうです。本作の舞台がアルプスの高原なのですから、当然といえば当然ですね。

冒頭文ではマイエンフェルトの町から山へつづく道

を、女の子がおばに手を引かれて歩いて行きます。少女は、初夏だというのに着ぶくれているので汗だくです。荷物を持ちたくないおばの作戦で、着替えをぜんぶ少女に着せていたからです。この少女がハイジです。

アルムのおじいさんの山小屋へ着くと、ハイジはこれまで食べたことのないおいしいチーズとヤギのミルクを飲んで大満足。こうしてハイジの山の生活がはじまります。おじいさんの仕事はチーズ作りと干し草作りです。ハイジは干し草のベッドに喜んで寝ました。

山へ来て三年間が経ち、ハイジはフランクフルトの裕福な屋敷で病身な少女クララの遊び相手をすることになりました。ハイジはホームシックになり、おじいさんのところへ帰ることになったのです。

やがて元気になったハイジを訪ねてクララがやって来ました。ハイジは車椅子のクララを花畑に連れ出し、自分で立つことを薦めます。クララは自力で立って、ハイジと並んで歩き出しました。すると、クララの病気は奇跡的に回復したのでした。

うんちく

さてここで、この本の別の読み方を紹介しましょう。ハイジは児童読物ですが、スイスの歴史をたどる大人の読み方もできるのです。そのポイントは二つあります。

その一。観光立国・温泉大国スイス。スイス（日本の北海道くらいの国土です）には温泉がたくさんあります。温泉保養地は、北部のバーデンを筆頭にラガッツ、サン・モリッツ、ロイカーバートなど。保養、スキー、登山などでスイスへ旅行する日本人観光客は年間約二十七万人もいるそうです（二〇一六年のデータ）。

その二。永世中立国スイス。三十年戦争が終わり、一九四八年のウェストファリア条約の締結でスイスは独立し、永世中立国として承認されました。一方、日本は一九四七年（昭和二十二）より施行された新憲法のもとに戦争放棄（交戦権の否認、戦力の不保持）を宣言しました。この当時、日本もスイスのように永世中立国を目指すべきだ、という議論が起こりましたが、日本は米国と日米安保条約を結ぶ道を選びました。

スウィフト

『ガリヴァー旅行《りょこう》記《き》』

（中野好夫訳、岩波少年文庫、一九五一年／改版一九六八年）

児童文学というより大人向けのユーモア・風刺《ふうし》小説――別の側面から読めば、新しい視野が開けてくる名著

わたしの父は、ノッティンガムシャーに住む、わずかばかりの土地持ちでした。わたしは、五人きょうだいの三番めでしたが、十四になると、父は、わたしをケンブリッジのエマニュエル学寮《がくりょう》に入学させました。ここで三年間、みっちり勉強したのですが、なにぶん、貧しい身代《しんだい》には、わたしの学費が（といっても、むろん、非常にわずかな仕送りではありましたが）どうにもあまりに大きい負担だというので、そのころ、ロンドン一流の医者、ジェイムズ・ベイツ氏の家に書生にやられ、そこで四年間、勤めました。その間、父からも、ときどき、わずかながら送金がありましたので、その金で、航海術とか、またそのほか、旅行でもしようという人間には、いずれ役に立つ、いろいろな数学をおさめました。というのは、いつかはきっと海外旅行にでる、それがわたしの運命だ、と、そういうふうに、信じていたからです。

ポイント解説

ガリヴァーは小人国《しょうじんこく》へ流れ着いた話（一章）が有名です。小人国はリリパット国と言います。引用したのはリリパット渡航記の冒頭文です。

次に流れ着いた大人国はブロブディンナグ国です（二章）。その他にも、飛び島（三章）、そして馬の国（四章）とめぐります。

実は、この本の一・二章は子供向けで、『ガリヴァー旅行記』が大人向けの読物になるのは三章からです。

それにしてもガリヴァーはどうしてこんなにもいろんな国をめぐるのでしょうか。冒頭文にこうありましたね。「いつかはきっと海外旅行にでる、それがわたしの運命だ、と、そういうふうに、信じていたからです。」

うんちく

『ガリヴァー旅行記』の三章は「ラピュータ」という国です。『天空の城ラピュタ』（宮崎駿《はやお》監督のアニメ映画、一九八六年公開）で知っている方も多いかもしれません。では、ラピュタとはどんな国でしょうか。

「召使いたちは、このボウコウでもって、しきりに、そばに立っている人の口や耳をたたくのですが、むろん、そのとき、わたしには、なんのことか見当もつきませんでした。けれども、これは、この国の人間たちが、いつも何か、非常に熱心に考えごとをしており、そのために、外から何か、口や、耳や、眼に刺激をあたえてやらないかぎり、物もいえなければ、他人の話に、耳をかたむけることもできない、ということらしいのです。」この箇所は子供も大笑いします。

それから訪れた西インド諸島の奇妙な国では、人間と馬が逆転しています。支配者はフウイヌムと呼ばれる高潔な馬、人間は下等でヤフーと呼ばれ、馬族に支配されています。スウィフトは人間の①貪欲さ、②悪《あく》食《じき》、③性欲の強さ、④闘争心（戦争）を嫌い、①政治家、②医者、③法律家の三つが最も嫌らしい職業だ、と言います。これは十八世紀のイギリス社会を念頭においたフウイヌム＝政府批判であり風刺です。

スウィフトの匿名による失政攻撃に対し、イギリス政府は懸賞金をかけましたが正体を突き止められませんでした。たしかにスウィフトは変人ですが、文明批評家としては一流の教養人だったと思います。

デフォー

『ロビンソン・クルーソー』

（武田将明訳、河出文庫、二〇一一年）

十九歳で船出、無人島で二十八年間サバイバル――牧畜や農耕を営む工夫をこらした産業革命推進の中核人間

ぼくは一六三二年、ヨーク市で生まれた。由緒《ゆいしょ》ある一家だが、地元の人間ではなかった。父はドイツのブレーメンからイングランドに来たよそ者で、最初は港町のハルに住んでいた。交易でかなりの財を築いてから身を引き、ヨークで暮らすようになると、そこでぼくの母と結婚した。母の実家の姓はロビンソンといい、地元ではとても由緒正しい家柄だった。これにちなんで、ぼくは「ロビンソン・クロイツナーエル」と名づけられたが、いまではぼくの一家はイングランドなまりの発音で「クルーソー」と呼ばれている。

ポイント解説

『ロビンソン・クルーソー』はロビンソンの自分語りで幕を開けます。まず簡単な来歴や名前の由来について紹介がなされ、そして数ページめくると出くわすのが、船乗りになりたいロビンソン・クルーソーに対して父親が長く熱心な説教をする場面です。

「家族を捨てて生まれた土地を飛び出そうなんて、ただの気まぐれでなければなんの理由があるのだろう。ここなら十分にコネもあるわけだし、懸命に努力すれば一財産つくって安らかで楽しい人生を送るみこみだってあるのだから。海外に冒険の旅に出て、大胆な計画で支持を集め、平凡な道から外れたおこないで名を馳《は》せるのは、追い詰められた不運な人間か、野心と金のある幸運な人間のいずれかなのだ。そんなことは、き

みには手に負えないか、手を染めるべきでないかのどちらかだ。きみの境遇は社会の中くらい、上流ではないけれど、上の方だといえる。これは父さんの長い経験に照らせばこの世でもっとも望ましい、人としての幸福にいちばん近い境遇だ。……」

これがまだまだ続きます。出だしでいきなり説教を読まされて、なんだかしんどいな、と思う読者もいるかもしれません。しかし、この冒頭の数ページこそがこの小説の最も大事な部分でもあるのです。

うんちく

イギリス経済史の泰斗《たいと》大塚久雄が、『社会科学の方法』（岩波新書、一九六六年）という本で、まるまる一章分をあてて『ロビンソン・クルーソー』を論じています。彼が言うには、デフォーが言いたいことは最初の数ページに尽くされているのです。つまり、デフォーはロビンソン・クルーソーの父親の口を借りて、自分の考えを述べているのだというわけです。

大塚はこう言っています。ロビンソンの兄はすでに海外にとび出して、どこで何をしているか分からない。ロビンソン自身も父親の言うことを聞かずに海外へ飛び出してしまい、ブラジルで荒稼ぎをし、奴隷を使ってプランテーションを経験する。一《イチ》か八《バチ》かの生活です。そして、痛風で足を患う父親が痛みをこらえながらロビンソンにした訓戒を思い知るわけです。

「上流と下流の人びとには、どちらも人生の苦難がつきまとっている」ものだが「中くらいの境遇にいれば不幸に見舞われることがずっと少ない」という父親の説教を聞かず、単身孤島に漂着し、そこで悔い改めて父親の訓戒にそった生活様式を実行するようになる、その物語が『ロビンソン・クルーソー』なのです。

ロビンソンの孤島での生活は、イギリス国内の半農半工の身分の人々、つまり後の産業革命の中核を担った人々の生活に酷似していたのです。たくましいサバイバル物語として読むのもいいのですが、父親の言葉の背景を読み取れば大人の物語としても楽しめるでしょう。

サン＝テグジュペリ

『星《ほし》の王子《おうじ》さま』

（内藤濯訳、岩波文庫、二〇一七年）

この作品が大人から子供まで絶大な人気があるのは、言葉が星の光のように胸に優しくしみ込んでくるから

六つのとき、原始林のことを書いた「ほんとうにあった話」という、本の中で、すばらしい絵を見たことがあります。それは、一ぴきのけものを、のみこもうとしている、ウワバミの絵でした。これが、その絵のうつしです。

その本には、「ウワバミというものは、そのえじきをかまずに、まるごと、ペロリとのみこむ。すると、もう動けなくなって、半年のあいだ、ねむっているが、そのあいだに、のみこんだけものが、腹のなかでこなれるのである」と書いてありました。

ポイント解説

物語は、飛行士である「僕」がサハラ砂漠に不時着したところからはじまります。そして、宇宙のどこの星から来たのか分からない王子さまと出会います。王子さまはさまざまな星を旅する途中で地球を訪れたのでした。王子は「僕」にとってかけがえのない存在となります。「僕」は六歳の時に描いたウワバミの絵を大人に見せますが、誰ひとりとしてちゃんと理解してくれません。しかたなく「僕」は絵描きになるという夢を捨てます。そして飛行機の操縦を覚え、世界じゅうを飛びあるきました。

「かんじんなことは、目には見えない。」

この作品には王子、キツネ、トルコの天文学者、自惚《うぬぼ》れ屋などいろいろな人物が登場しますが、これはキツネの言葉です。王子さまが星に帰るときにキツネが「僕」に伝えた有名な言葉です。「目に見えない大切なこと」とは、費やした時間＝絆のことです。

『星の王子さま』は単なる童話ではありません。子供の論理で発信された大人へのメッセージです。

訳者は内藤濯です。冒頭文でも分かるように、実にリズムの良い名訳です。

うんちく

サン＝テグジュペリにはほかにも『夜間飛行』、『人間の土地』、『戦う操縦士』などの作品があります。ここでは『人間の土地』（堀口大學訳、新潮文庫、一九五五年／改版二〇一二年）を紹介しましょう。

「人間であるということは、とりもなおさず責任をもつことだ。」

これは、『人間の土地』に出てくる言葉です。この本で私が特に感動したのは、サン＝テグジュペリの仕事への向き合い方です。自分とは関係のない悲惨さに恥を感じたり、仲間の成功を自分のことのように思う。自分が大きなものに関わっているという誇りに、生きる意味を見いだすというメッセージこそがサン＝テグジュベリの本質です。彼のメッセージは、言葉がすっと心に響いて、その鳴り方が凛《りん》としています。フランス語から日本語に翻訳しても、なお鳴り響く。ほんとうに力のある言葉を残した人です。

サン＝テグジュベリは、絶対的な才能があって作家になった人ではありません。確かな才能がない自分に苛立《いらだ》ち、何をやってもものになりそうにない。そんな時、郵便を飛行機に積んで、夜、大陸を渡った時に初めて得た実感。美しい大地の姿、不時着した時の困難、それらすべてが並みの体験ではなかった。そこに初めて人との差異が生まれて、彼は独自性を得たのです。

しかし、彼の作品が人気の理由は、その根底にある責任感でしょう。使命を引き受けて生まれる心の張り。これが生きる上で最も重要なのだということを、つねに謳いあげていく。果たすべき約束や責任を感じた時に、はじめて人は人らしくなるのです。

第8章

文化・芸術から人文・社会・自然科学まで、探究心をぐいぐい追究するための名著

世阿弥《ぜあみ》

『風姿花伝《ふうしかでん》』

（『花伝書《かでんしょ》』野上豊一郎他校訂、岩波文庫、一九五八年）

厳しい言葉の数々は、自分の仕事に惹きつけて考えやすい——時代を超えた親身なアドバイスとして読んでみたい！

一、この芸において、大方《おおかた》、七歳をもて初めとす。この比《ころ》の能の稽古《けいこ》、必ず、その者自然とし出《い》だす事に、得たる風体《ふうてい》あるべし。舞・働きの間、音曲、もしくは怒《いか》れる事などにてもあれ、ふとし出ださんかかりを、うちまかせて、心のままにせさすべし。さのみ、よき、あしきとは教ふべからず。余りにいたく諫《いさ》むれば、童《わらべ》は気を失ひて、能ものぐさくなり立ちぬれば、やがて能は止《と》まるなり。

ポイント解説

『風姿花伝』は、今から六百年ほど前に、能の大成者世阿弥によって書かれた芸道論（全八巻）です。世阿弥は父の観阿弥が創始した芸能「能」を完成させ、観阿弥から伝えられた芸の極意をこの書にまとめました。

冒頭文は能を子供に教える際の心得から始まります。能の稽古は七歳から始めるのがよい。子供の自然な演技にまかせ、好きなようにやらせてみなさい。注意ばかりして子供がやる気をなくせば、能がいやになって成長も止まってしまう。これは現代の子育てにもそのまま応用できる言葉だと思いませんか。

世阿弥の本には、現代人にも活かせる名言がたくさん出てきます。その一端をご紹介しましょう。

『風姿花伝』はそもそも「花」を伝えるものです。では「花」とは何か。簡単に言えば、ほかの人にはない珍しさ、新しさ、自分だけが表現できる特別な美を意味します。その「花」を会得するために、世阿弥は随所で「よくよく工夫すべし」と言っています。つまり、

「花は心、種は態《わざ》なるべし。」（第三 問答条々）

工夫を重ねて技芸を洗練させる、その先に美が創造されるということです。何か工夫して、観客が思わず「ほう」と感嘆してしまうような意外性がなければ、飽きられてしまうだけだからです。

「秘すれば花、秘せねば花なるべからず。」（第七 別紙口伝）

ここには、一族はこの秘伝をもって「花」を維持し、厳しい競争を勝ち抜いていくという切実な思いが溢れています。この辺り、競争社会を生きる現代人にも通じるものがあります。自分たちにしかない強みをより強化し継承することが、生き残りを賭けた戦いに勝利するポイントだ、という見方もできるでしょう。

うんちく

世阿弥はその生涯に多くの秘伝書を残しました。現在二十一冊の秘伝書が確認されていますが、『風姿花伝』は、それらの中で最初に著されたものです。

いまでは、文庫本で手軽に読めますが、かつては一族の秘伝書として、その技とともに密かに受け継がれていたものです。観阿弥・世阿弥の生きた世界は、能の幽玄さからはかけ離れた、厳しい生存競争の世界でした。将軍足利義満の庇護を受けられるかどうか、貴族たちに受け入れられるかどうかは死活問題でした。

世阿弥がすごいのは、将軍や貴族に気に入られるだけで満足することなく、広く一般の人たちの評判も視野に入れていたことです。タイプの異なる観客を両方満足させることを、自らの課題として考えたのです。

世阿弥は新しい型をつくり、生存競争に勝利しました。しかし、かれは勝利が永遠のものではないこともよく知っていました。だからこそ、一族に勝ち抜くための極意を書き残し、「秘伝書」として伝えたのです。

唯円《ゆいえん》

『歎異抄《たんにしょう》』（金子大栄校注、岩波文庫、一九三一年／改版一九八一年）

善人が救われるのなら、悪人はもっと救われる——五十を過ぎたらストレスを減らす方法を身に付けよ

弥陀《みだ》の誓願《せいがん》不思議にたすけられまいらせて、往生《おうじょう》をばとぐるなりと信じて、念仏まうさんとおもひたつこゝろのをこるとき、すなはち摂取《せっしゅ》不捨《ふしゃ》の利益《りやく》にあづけしめたまふなり。

現代語訳（金子大栄訳）

念仏する者を、光明の中に摂《おさ》め取りたもう。それを阿弥陀《あみだ》と名づく。これ即ち阿弥陀は念仏者にその徳を現わし、念仏者は阿弥陀の光明の中に自身を見出すのである。

ポイント解説

『歎異抄』は親鸞の言葉を弟子の唯円が聞き書きしたものです。冒頭文には、人の生きる目的が示されています。親鸞はそれを「摂取不捨の利益」、摂《おさ》め取って捨てない永遠不変の幸福、簡単に言えば「絶対の幸福」と言っています。念仏を唱えようと思う心の起きた時、絶対の幸福に生かされたというのです。

『歎異抄』第三章の冒頭の言葉もよく知られています。「善人なおもて往生をとぐ、いはんや悪人をや。」（善人でさえ浄土に往生することができるのですから、まして悪人が浄土に往生できないことはありません）

しかし、はじめて読んだ方は首をかしげるのではないかと思います。

親鸞《しんらん》が言おうとしたのは、阿弥陀仏《あみだぶつ》は誰にでも救い

の手を差しのべてくれるけれども、その救いの手をつかみたいと思う必死さ、切実さが強いものほど救われる度合いも強くなる、自分は罪深い人間であるという自覚が強いほど、往生《おうじょう》の道は近いということです。

私たちがふつうに暮らしていて、阿弥陀仏にすがりたいとはそれほど思わないわけですが、たとえば会社でリストラに遭《あ》って失職したら、何かにすがりたいと切実に思うようになります。悪いことをした覚えはないけれど、思い上がりや傲慢《ごうまん》さがあったのではないか、知らず知らずに罪を犯していたのではないか、そんなふうに自分を見つめ直し、煩悩《ぼんのう》にまみれた愚か者だと思い定めた時、救いの手をつかむことになるのです。

うんちく

親鸞は、阿弥陀が救済の対象とするのは貴族層よりも、生活のために心ならずも戒律を犯したり、殺生をせざるをえない百姓・庶民などの悪人《あくにん》であるという、悪《あく》人正機説《にんしょうきせつ》を唱えました。

親鸞の教えをひとことで言えば、「南無阿弥陀仏」さえ唱えれば、すべての不安から解き放たれる、ということです。東本願寺で講演をした時、信徒のみなさんが「ナンマンダ、ナンマンダ……」と言っていて、その様子がとても落ち着いているのに感銘を受けました。「南無阿弥陀仏」ではなく「ナンマンダ」というところにまた、阿弥陀様への親しみが感じられて、だからこそ浄土真宗はこんなにも浸透したのだと実感しました。

南無阿弥陀仏は基本的に「他力」の考えです。坐禅を組む、善行を積む、といった自力でがんばる「悟りのプロセス」はありません。ひたすら阿弥陀様におすがりするのです。阿弥陀様に心を預けて、自我の囚《とら》われから離れていくということです。

五十を越えたら、何かしら心の平安を保つ術を身につけたほうがいいです。死を意識したり、体の不調に悩まされたり、生命力が衰えたりと、いろんなストレスに苦しめられるからです。他のお題目でもかまいませんが、「今他力に目覚めれば、ストレスを減らすことができる」というふうに考えてみてはどうでしょうか。

小林一茶《こばやしいっさ》

『おらが春《はる》』

（矢羽勝幸校注、『父の終焉日記・おらが春 他一篇』岩波文庫、一九九二年）

目出度《めでた》さもちう位也《くらいなり》おらが春　一茶

ポイント解説

冒頭の句は小林一茶の俳諧俳文集『おらが春』の表題作でもあります。この句の前書きに、風が吹けば飛ぶようなあばら家に住み、門松も立てず掃除もせず、不十分なりに他力本願に新年を迎える、とあります。つまり、特別なことはなにもせず、ありのままに新年を迎えている、だから「中くらい」のめでたさの自分の正月であるよ、ということですね。

一茶で驚くのは、生涯で残した俳句がおよそ一万九千句もあることです（ちなみに松尾芭蕉《ばしょう》八百句、与謝《よさ》蕪村《ぶそん》は三千句だそうです）。

生涯に約一万九千句も作った一茶 軽みのある句作を続けたタフさに脱帽

私は一茶の俳句は二分類できるのではかと思います。

その一。まずは、次のような動物や子供を主題とした句です。小さいものに対する眼差しの素晴らしさがうかがえるのです。いわゆる一茶調の親近感です。

「初蝶のいきおひ猛《もう》に見ゆる哉」（『文化句帖』）

春になって群生した蝶が空を飛ぶなかで、初蝶の飛び方がこころもとない。しかし「猛に見ゆる」としたところが一茶ならではの見立てです。

「痩蛙《やせがえる》まけるな一茶是《これ》に有《あり》」（『七番日記』）

有名な句ですね。一茶の句で特徴的なのは、この句のように、小さな生き物に自分を重ね合わせて、自然を楽しむ心が生き生きとえがかれていることです。

その二。次の句のように、一茶はさりげない日常風景にささやかなおかしみを見つける名人でもあります。

「小便の身ぶるひ笑へきり〲す」（『西国紀行書込』）

草むらあちこちできりぎりすが鳴いている。それを見渡しながら小便をする。さむさのせいか、し終わって身ぶるいする、という旅の一齣《ひとこま》の微苦笑劇です。

「我と来て遊べや親のない雀《すずめ》」（『おらが春』）

おい、こっちに来いよ、親のない雀、おれも親なしなんだよ、というほどの意。なお、この句には前記《まえがき》に「六才弥太郎」（弥太郎は一茶の本名）として記載されていますが、これを怪しむ議論もあります。

うんちく

俳句というのは年がいくにつれて、だんだんいいものだなと思えてくるもののようです。何となくほっとするんでしょうね。とりわけ一茶の俳句には、思わずくすりとする「おかしみ」があるし「軽み」が感じられます。

「五十を過ぎたら、生き方が年々軽やかになっていくのがよろしい。いい年をしてまだ重さを引きずっているなんて、生きてきた経験がいまひとつ生きていない気がする。」私はこういう考えなので、『おらが春』をはじめとする一茶の俳句は、私の後半生の生き方のお手本のようなものを提示してくれているように思います。

一茶は信濃国《しなののくに》（現・長野県）の雪深い山村に生まれ、幼い頃に母に先立たれ、祖母に愛育されました。のちに迎えた継母《ままはは》とは対立し、十五で江戸に出されます。転々と渡り奉公をし、俳諧《はいかい》の修行もするなど大変な辛《しん》酸《さん》をつぶさになめたといいます。

やがて俳諧を習い覚え、頭角を現わすようになりますが、はっきりとした成功は手にしていない。加えて私生活にあっては、次々と子どもが夭死《ようし》したあげくに妻に死なれ、再婚には失敗し、一茶自身も中風《ちゅうふう》（脳出血）を病む。その一方で実家とは遺産相続で延々ともめるなど、幸せとは程遠い人生でした。

そういう壮絶な人生のなかから、おかしみのある俳句が出てきたと分かると、なおさら軽やかに人生を生きることの大切さが身に沁みてくるのです。

貝原益軒《かいばらえきけん》

『養生訓《ようじょうくん》』

（『養生訓・和俗童子訓』石川謙校訂、岩波文庫、一九六一年）

人生百年時代には長生きが一番！食欲と性欲を節制して元気を養おう

人の身は父母を本とし、天地を初とす。天地父母のめぐみをうけて生れ、又養はれたるわが身なれば、わが私の物にあらず。天地のみたまもの（御賜物）、父母の残せる身なれば、つつしんでよく養ひて、そこなひやぶらず、天年《てんねん》を長くたもつべし。〈中略〉元気をそこなひ病を求め、生付《うまれつき》たる天年を短くして、早く身命を失ふ事、天地父母へ不孝のいたり、愚なる哉《かな》。

ポイント解説

『養生訓』は平易な文章で日常的な健康を庶民に説いたことで知られます。益軒は本書の冒頭で「長生きが一番！」と言い切っています。実は益軒自身、体が弱かったそうです。それで養生せざるをえず、いろんなことに気を付けて暮らしていたら、長生きしたんですね。八十三歳の時にこの本を書き、八十五歳という当時としては大変な長寿をまっとうしました。

うんちく

貝原益軒はもともと福岡藩士（儒者）でした。十九歳から二年間福岡藩に出仕したのちに浪人となりましたが、二十七歳で再出仕しました。藩命で京都に遊学し多くの文人らと交わり幅広い学問を修めました。七十一歳で隠居後、『養生訓』をはじめ『大和本草《やまとほんぞう》』、『和《わ》俗童子訓《ぞくどうじくん》』、『大疑録《たいぎろく》』など多数の著作を発表しました。

もっと食べたい、もっと飲みたい、もっと寝たい、もっと遊びたい、もっとセックスしたい……人間にはいろんな欲望があります。これらが「内欲」。一方、夏の暑さや冬の寒さ、梅雨の湿気など、季節や天候の変化は「外邪」。益軒はこの二つが体調を崩すもとだとし、「先《まず》わが身をそこなふ物を去《さる》べし。」と言っています。これはたとえば、食欲なら、「腹八分目に医者いらず」と言われるようなことです。ただ、五十以降は「腹七分目」くらいでしょうか。

益軒の養生術の根底には、「気《き》の流れをよくする」という考え方があります。気とはなんのことでしょうか。

「人の元気は、もと是《これ》天地の万物を生ずる気なり。」

天地の気と、人間が生きるうえで必要な気も同じだというわけです。だから、「養生の術は先心気《まずしんき》を養ふべし。心を和《やわらか》にし、気を平《たい》らかにし、いかりと慾とをおさへ、うれひ・思ひをすくなくし、心をくるしめず、気をそこなはず。是《これ》心気を養ふ要道なり。」

このくだりに続けて、「酒をちょっと飲み、食後は歩き、ときどき腰や腹をさすってやり、血気を巡らせなさいよ」など、具体的にアドバイスしています。

今の人は気の流れと聞いてもピンとこないかもしれませんので、「とりあえず血の流れを意識してみる」ことです。足裏マッサージや足湯・半身浴など、下半身を温めると、血流がよくなることを実感できます。

益軒と言えば必ず出るのが、男性の養生（性欲）の極意と言えるこの名言です。俗に言う「接して漏らさず」の教えです。

「四十以上の人は、交接のみしばしばにして、精気を泄《もら》すべからず。」

貝原益軒は年齢ごとにセックスの回数の目安を定めています。二十歳以前はセックスを慎み、二十代は四日に一回、三十代は八日に一回、四十過ぎたら十六日間隔、五十を過ぎたら二十日の間隔、六十を過ぎて体力があれば三十日間隔。無理をしないで体を養うという考え方ですね。私は益軒のこの本を読んで精気を保つことも養生術の一つと学び、「養生、養生」とつぶやきながら気を養っています。健康に長生きすることは、五十以降の大きな楽しみですから。

与謝野晶子《よさのあきこ》

『みだれ髪《がみ》』（新潮文庫、一九九九年）

若い女性の命がけとも言える恋心を熱情に満ちた言葉でつづった処女歌集

夜の帳《ちょう》にささめき尽きし星の今を下界《げかい》の人の鬢《びん》のほつれよ

ポイント解説

『みだれ髪』は、女性の命がけの恋心を、熱情に満ちた言葉でつづった与謝野晶子の処女歌集です。冒頭に置かれた歌は少し難解ですが、夜の闇の中で星がさざめくように輝いているその下で、私たちは鬢をほつれさせ、心乱れています、と恋の歓喜の絶頂にいる感覚をエロティックに詠んだ歌です。

発表当時はこうしたセンセーショナルな表現が賛否両論を巻き起こしました。本作品からいくつか名歌を紹介しましょう。

「その子二十櫛《はたちくし》にながるる黒髪のおごりの春のうつくしきかな」（その女性は二十歳、梳《くしけず》るたび櫛からまっすぐ流れるように黒髪が伝う、そんなことを誇らしく感じる青春時代の、ああ、なんて美しいのかしら）

「やは肌のあつき血汐《ちしお》にふれも見でさびしからずや道を説く君」（柔らかな肌の下を流れる熱い血潮、そんな若さと情熱に溢れた私に触れようともしないで、寂しくはないんですか、世のありふれた道徳を説いてばかりいるあなたといったら……）

「くろ髪の千すぢの髪のみだれ髪かつおもひみだれおもひみだるる」（私の黒髪の、千筋もの豊かな髪のみだれ髪よ！　思い乱れるたびにさらに乱れる私の心よ！）

「春みじかし何に不滅《ふめつ》の命ぞとちからある乳を手にさぐらせぬ」（青春は短い。どうして不滅の命なんてあるものですか。命あるものはいつか必ず衰えていく。今このときがすべてなのよ……。そんなふうに思って、若い力の張《みなぎ》る私の乳房をあなたの手にさぐらせました。）

「人の子の恋をもとむる唇に毒ある蜜をわれぬらむ願ひ」（迷い多い人間が甘さだけを欲しがって恋を求めるなら、私はその唇に毒の入った蜜を塗ってあげましょう。そんな願いをもっています。）

「病みませるうなじに繊《ほそ》きかひな捲《ま》きて熱にかわける御口《みくち》を吸はむ」（病んでいらっしゃるあなたの首に私の細い腕を巻き付け、熱で乾いたあなたの唇を吸って潤わせて差し上げましょう。）

うんちく

一九七八年（昭和五十三）の学習指導要領の改訂で、与謝野晶子の代表歌「君死にたまうこと勿《なか》れ」が教科書に登場するようになりました。その代わり、日露《にちろ》戦争の英雄・東郷平八郎《とうごうへいはちろう》や乃木希典《のぎまれすけ》が姿を消しました。明治は遠くなりにけり。晶子も明治人ですが。

弟の日露戦争出征に際して発表された長詩「君死にたまふこと勿れ」は反戦詩と言い切ることはできません。「親は刃《やいば》をにぎらせて　人を殺せとをしへしや　人を殺して死ねよとて　二十四までをそだてしや」とありますように、親のわが子を思う感慨を素直にうたったものです。国粋主義者が怒ったのは誤解からです。

晶子は奔放な官能と浪漫的な心情のうたをつぎつぎと発表しました。切ない恋をうたったものです。あからさますぎるともいえるセンセーショナルな表現で。

私生活ではいろいろありました。歌の指導を受けていた、与謝野鉄幹《てっかん》と結婚します。それも略奪婚でした。鉄幹とのあいだには十一人の子どもをもうけました。

晶子は歌人・詩人であると同時に訳業もしています。『新訳 与謝野晶子の源氏物語』（角川文庫、全三巻）がそれです。この作業は十七年間かかったそうです。

最後にもう一つ。一九〇一年（明治三十四）発表の『みだれ髪』の挿画《そうが》・装丁《そうてい》はすばらしい！　それもそのはず、洋画家の藤島武二《ふじしまたけじ》によるものですから。なお現在の新潮文庫はこれを流用しています。

渋沢栄一《しぶさわえいいち》

『論語《ろんご》と算盤《そろばん》』

（角川ソフィア文庫、二〇〇八年）

『論語』を座右の書として、自分に引きつけて考え、商業・実業に活かした「日本資本主義の父」渋沢栄一

今の道徳によって最も重《おも》なるものとも言うべきものは、孔子のことについて門人達の書いた論語という書物がある。これは誰でも大抵読むことは知っているがこの論語というものと、算盤《そろばん》というものがある。これは甚《はなは》だ不釣合《ふつりあい》で、大変に懸隔《けんかく》したものであるけれども、私は不断《ふだん》にこの算盤は論語によってできている。論語はまた算盤によって本当の富が活動されるものである。ゆえに論語と算盤は、甚だ遠くして甚だ近いものであると始終論じておるのである。

ポイント解説

『論語と算盤』の冒頭文は、一般にはかけ離れていると思われがちな『論語』と算盤（商業）を深く結びついたものとして世に問う覚悟が、明確に表れているといえます。しかも「ただの『論語』」ではありません。渋沢は自らの実業家人生を『論語』で貫く、という生涯をかけた証明を行ったのです。

うんちく

渋沢栄一は、明治から大正初期まで日本の経済界をリードした「日本資本主義の父」とも呼ばれる大実業家です。彼は単に多くの会社を設立したというだけでなく、日本にヨーロッパの経済システムを導入し、自

ら実践し、根付かせたのです。資本主義を日本社会で機能させた功績を考えると、日本史などでもっと学ばれてよい英傑と言えるのではないでしょうか。

その渋沢栄一が、生涯座右の書としていたのが『論語』です。『論語』は、人の道を説き、国の治め方を説いた書であり、金銭に関わる商業とは遠いものと考えられていました。士農工商という江戸時代の商業軽視の影響もあり、利益をあげることを目的とする商業は、『論語』の精神とは相反するものとして見る見方も根強くあったのでした。

しかし渋沢は、『論語』の教訓を商業・実業に活かせるはずだという確信を持って『論語』を読み、生涯その言葉を信念として活用したのでした。

そのきっかけとなったのは、一八七三年（明治六）に大蔵省（現・財務省）の官僚を辞めたことでした。幕臣の身分でパリ万博を視察し、ヨーロッパの経済システムを学んだ渋沢は、大隈重信《おおくましげのぶ》に説得されて大蔵省に入り、国立銀行条例の制定などに尽力しますが、予算問題で大久保利通《おおくぼとしみち》や大隈と対立し、退官しました。

これからいよいよ実業界に入ろうという時、「志《こころざし》を如何に持つべきか」と考え、かつて習った『論語』を思い出しました。『論語』には己を修めた人に交わる日常の教えが説いてあります。彼はこの『論語』の精神で商売はできまいかと考えました。私利私欲のためではありません。日本の商売（実業）が振るわなければ国の富も増進することはできない、と考えたのです。

しかし、友人からも、金銭に目が眩《くら》み、官を去って商人になるとは呆《あき》れたものだ、と責められます。そこで渋沢はこう反論し、覚悟を決めました。

「私は論語で一生を貫いてみせる。金銭を取り扱うが何ゆえ賤《いや》しいか。君のように金銭を卑しむようでは国家は立たぬ。官が高いとか、人爵《じんしゃく》が高いとかいうことは、そう尊《とうと》いものでない。人間の勤むべき尊い仕事は到る処にある。官だけが尊いのではない」。そして「私は論語を最も瑕瑾《きず》のないものと思ったから、論語の教訓を標準として、一生商売をやってみようと決心した」と語っています。

渋谷栄一は、二〇二四年度から新紙幣に登場します。

西田幾多郎《にしだきたろう》

『善《ぜん》の研究《けんきゅう》』

（岩波文庫、一九五〇年／改版二〇一二年）

西洋哲学とは異なる、主客未分の心の在り方を中心とする、独自の東洋哲学の大系をつくった

経験するというのは事実其儘《そのまま》に知るの意である。全く自己の細工を棄てて、事実に従うて知るのである。純粋というのは、普通に経験といって居る者もその実は何らかの思想を交えて居るから、毫《ごう》も思慮分別を加えない、真に経験其儘の状態をいうのである。

ポイント解説

冒頭文に書かれているのは、西田哲学の重要概念である純粋経験の説明です。純粋経験とは、たとえば音楽を聴いているときに、私という主体が音楽という客体を聴いているとは考えずに音楽と同一化している状態、主客が未分の状態です。主客があるかのように思うのは、私たちの思い込みにすぎません。実は、主客未分のほうが本来の姿であり、純粋な経験だと言うのです。経験の大本を純粋な経験だとすると、純粋経験は主客未分で起こっているはずだ、ということです。

難解で知られる西田哲学ですが、東洋の認識の仕方、考え方の奥底にある、矛盾を統一する主客未分の心の在り方を中心にした独自の哲学の体系を構築しようとしたのが『善の研究』だったのです。

うんちく

『善の研究』は、西洋哲学を踏まえた上で、日本人が独自に哲学の体系を打ち立てたという意味で記念碑的

な作品です。一九一一年（明治四十四）に発行され、旧制高等学校の学生の必読書でした。

善とは、必ずしもすべての哲学の中心ではありません。善というのは、いかに生くべきかを考えることだから、そうすると何が正しいのかということになり、宗教も含んできます。単に哲学の問題だけではなくて、生き方を問うものになってきます。そこで、仏教学者で禅《ぜん》を世界に広めた鈴木大拙《だいせつ》と西田幾多郎が同郷（石川県出身）で親友であったということも理解できてきます。西田も禅になじんでいました。認識するだけではなくて、自分の生き方を重ね合わせて考えていくことを学んだはずです。

ポイントは、主客が分かれないということでした。認識する、ものごとを理解するときに、私がいて、対象があって、それを理解するとか知覚するということではなく、たとえば氷に手を触れたとき、手が冷たいとも思うし、氷が冷たいともいいます。その時には、冷たいのは氷なのか手なのか、どちらとは言えません。主客が解けあってしまったような瞬間があります。それがむしろ基盤にあって、私たちは認識ができるのではないか。それは、善の修行をしている人たちが、自己と世界が分けられないものだと悟ったりすることに通じます。そういう実践的な悟り、確信があったから、西田は、このような体系を打ち立てることができました。

西田の言うように、主客の分かれていないところこそ純粋な経験が起こっている状態は何も特別なものではなく、私たちが折々に感じているものでもあります。たとえばスポーツをしている時や、音楽をしている時に「自分をなくす経験」をしたことがある人は多いと思います。意識せずに打っていたとか、思わず演奏していたとか、その行為に集中することで、音楽そのものになりきっていたという経験です。こうした経験は、音楽を聞くだけでも体験することがあります。

自分という意識がなくなった状態では、自他の区別もなくなります。そうした時、「そこにあるのは純粋な経験だけだ」と言われると、西田幾多郎が言おうとしたことというのは、かならずしも特別なことでも、異常なことでもないのではないか、と思えてきます。

古今亭志ん生《ここんていしんしょう》

『なめくじ艦隊《かんたい》――志《し》ん生半世紀《しょうはんせいき》』

(ちくま文庫、一九九一年)

話しながら喋る、稽古をする、十六回芸名を変えるなど、人格と噺《はなし》のリズムとスタイルがワッハッハの志ん生半世紀

世の中に「なめくじ」ほど、ズウズウしくて、ものに動じないやつは、またとありませんナ。

あいつは、刃物で切ろうが、キリでつこうが、ケロンとして、ちっともおどろかない。それればかりか、切ったって一滴の血も出やしない、まったく血もナミダもねえやつで……。〈中略〉

地面がひくくって、ジメジメと湿気が多いもんだから、ナメクジ族にとっちゃアまたとない別天地……雨あがりのあとなんざアちょうど、日本海軍がはなやかだったかつての大艦隊のように、戦艦、巡洋艦、駆逐艦、潜水艦と、大型小型のいりまじった、なめくじ連合艦隊が、夜となく昼となく、四方八方からいさましく攻めよせてくる。

ポイント解説

私は、五代目古今亭志ん生の落語が大好きで、志ん生の全集CDを持っていて、それをよく聞いています。新ん生の落語が人気なのは、志ん生がリズムとスタイルを持っていて、それが人格と相まってにじみ出てしまう面白さがあるからです。洒脱《しゃだつ》さや柔らかさに、聞いているものが染まっていくからでしょう。

引用した冒頭文からも志ん生独特のリズムとスタイルが感じ取れるはずです。音読するとよりわかると思

います。『なめくじ艦隊』を読んでいると、古今亭志ん生という人自身が、まるで落語の主人公みたいに面白い人なのがよく分かります。そもそも本人がこう述べています。

「あたしは若い時分から、道楽という道楽を、したいだけしてきたんです。もっとも昔は、芸人になるてえのは、たいがいさんざ道楽のかぎりをつくして親も親類もあきれかえって、サジを投げたというような人種が多かったんです。」（女とバクチ）

うんちく

志ん生は売れない時代が長かったんです。十六回も芸名を変えますがなかなか売れません。奥さんがいて、子供も何人もいるのに、なかなか人気が出ない。しかも噺《はなし》をする時以外は酒とバクチに熱中するということで、ほんとうに貧乏だったんですね。

そんなある日、お金持ちが窮状を見かねて、三人の子供用の服をたくさんくれたそうです。その中に一枚、まだ新品に近い絣《かすり》の着物があって、それを見た志ん生は、子供たちみんなにこんな服を着せてあげられたら、「子供たちがとびあがってうれしがるだろう。こういう着物を早くみんなに着せてよろこばせてやりたいなア」と心底思ったそうなんですね。そして、以来心を入れ替えて稽古《けいこ》をするようになったということです。

志ん生は稽古の方法も面白くて、噺をしながら歩いていました。もそもそと噺をしながら歩き続けるとみんなに怪しがられたらしいんですが、そんなのは気にせずひたすら続けたそうです。

志ん生は、道楽や貧乏を経験している人間でないと落語家として大成はできない、と述べています。なぜかというと落語というのは「世の中のウラのウラをえぐっていく芸」だからなのだそうです。

そんな志ん生の十八番《おはこ》の噺は「古典落語」シリーズ『志ん生集』（飯島友治編、ちくま文庫、一九八九年）に収録されています。『火焔《かえん》太鼓』や『お直し』など名作ぞろいです。

『魏志倭人伝《ぎしわじんでん》』

（石原道博訳『魏志倭人伝・後漢書倭人伝・宋書倭人伝・隋書倭人伝』（岩波文庫、一九八五年））

倭人は帯方の東南大海の中にあり、山島に依りて国邑を為す。旧《もと》百余国。漢の時朝見する者あり、今、使訳通ずる所三十国。

郡より倭に至るには、海岸に循《したが》って水行し、韓国を歴《へ》て、乍《あるい》は南し乍《あるい》は東し、その北岸狗邪韓国に至る七千余里。始めて一海を度《わた》る千余里、対馬国に至る。〈中略〉東南陸行五百里にして、伊都国に到る。〈中略〉東南奴国に至る百里。〈中略〉東行不弥国に至る百里。〈中略〉南、投馬国に至る水行二十日。〈中略〉南、邪馬壱国に至る、女王の都する所、水行十日陸行一月。

ポイント解説

『魏志倭人伝』（三国時代の正史）は三世紀の倭《わ》（日本）の姿を詳しく伝えてくれます。冒頭文には倭の位置および行き方が詳述されています。

倭国＝倭人は、後漢末に楽浪郡《らくろうぐん》の南にもうけられた帯方郡《たいほうぐん》を通じて魏と通交していました。邪馬台国は三十ほどの国を従えた部族国家を形成しました。女王卑弥呼はシャーマン（巫女《みこ》）であり、祭政一致の政治が行われていたのです。

帯方郡から日本へ行くには、投馬国から「水行十日陸行一月」かかりました。投馬《とうま》国は現・福岡県八女市、伊都《いと》国は現・福岡県糸島市、奴《な》国は現・福岡県福岡市、不弥国は現・福岡県粕屋郡宇美町。以上が、現在の地名との対応の仮説です。卑弥呼が亡くなったあと、男王が就いたものの国中が従わないので、壱与《いよ》という女性を立ててはじめて治まったといいます。

うんちく

邪馬台国の位置が定まらないのは、『魏志倭人伝』の記述があいまいだからです。この説明どおりに進めば、日本列島を通りすぎて海中にポチャンです。

邪馬台国の位置をめぐっては、畿内説と北九州説があります。「畿内」とは律令《りつりょう》制時代の特別区域で、大和《やまと》・摂津《せっつ》・河内《かわち》・山城《やましろ》・和泉《いずみ》国の五国を指しました。このうち大和国は現在の奈良県です。

畿内説の立場の人は、纒向《まきむく》古墳群をあげています。なかでも箸墓《はしはか》古墳（墳長約二百八十メートル）が第一候補地です。古墳群とは、三輪山《みわやま》（奈良県天理市）山麓の東西二キロ、南北一・五キロにわたる一帯をいい、六基の巨大な前方古墳群があります。奈良県立橿原《かしはら》考古学研究所により何年間にもわたり、少しずつ発掘調査されており、現在、発掘の範囲は全体の五パーセント超のようです。ここで三世紀なかば頃建てられたと推定される大型建物が発掘されています。

北九州説には筑紫平野、福岡平野などの筑後地方のほかに佐賀、大分、宇佐なども含まれ、ほとんど九州全域に及びます。北九州説の証拠をなすのは豊富な考古学的な遺物・遺跡です。すなわち鉄製の矛《ほこ》や矢じりなどが北九州の古墳から多数発見されています。

また卑弥呼は魏に使者を派遣し、銅鏡百枚を授与されたといいます。黒塚古墳（奈良県）など畿内の古墳から五百枚の銅鏡（三角縁神獣鏡《さんかくぶちしんじゅうきょう》）が出土しているところから、畿内説論者は自説が正しいと主張しますが、卑弥呼がもらったのは百枚ですから多すぎです。しかも三角縁神獣鏡は中国では出土していないのです。ゆえに国産鏡と思われます。

思い起こせば、明治の終わりの内藤湖南（「邪馬台国＝畿内説」を主張）vs.白鳥庫吉（「邪馬台国＝九州説」を主張）以来の大論争ですが、いまだに邪馬台国論争には決着がついていません。

ルソー

『社会《しゃ》会《かい》契《けい》約《やく》論《ろん》』

（桑原武夫他訳、岩波文庫、一九五四年）

フランス革命の導火線となった冒頭文
日本の自由民権運動にも影響を与えた名著

> 人間は自由なものとして生まれた、しかもいたるところで鎖につながれている。自分が他人の主人であると思っているようなものも、実はその人々以上にドレイなのだ。どうしてこの変化が生じたのか？　わたしは知らない。何がそれを正当なものとしうるか？　わたしはこの問題は解きうると信じる。

ポイント解説

『社会契約論』のこの有名な冒頭文がフランス革命を惹《ひ》き起した、と言えば言い過ぎかもしれませんが、それくらいインパクトを与え導火線となったことは間違いありません。

一七六二年に公刊されたこの本は、二十七年後の、王政を打破し、人民主権の国家をつくりあげる過程で理論的・精神的な支柱となりました。

不幸にもルソーは『社会契約論』と教育学の古典『エミール』の発刊により、二度の逮捕状を出され、迫害されました。彼はフランス革命を見ることなく、失意のうちにこの世を去りました。

ルソーの考え方をひとことで言えば、直接民主主義です。国家が成立する以前に「自然状態」を想定して、社会契約を交わして国家が成立すると考えました。権利は国家を構成する人民一人ひとりにあり、それを各人相互の契約によって結合します。

早い話が、人民相互の契約により成立したものが国家だとします。ポイントは人民相互による契約です。支配者と人民による契約ではありません。人間は約束や権利によって平等になれると言います。

『社会契約論』は、日本では中江兆民《ちょうみん》により『民約訳解』と訳され出版され（一八八二年）、自由民権運動に影響を与えました。

うんちく

「要するに、僕は地上でただの一人きりになってしまった。もはや、兄弟もなければ隣人もなく、友人もなければ社会もなく、ただ自分一個があるのみだ。」（青柳瑞穂訳、新潮文庫、一九五一年／改版二〇〇六年）

このルソーの名著『孤独な散歩者の夢想』の冒頭文は、晩年のルソーがいかに孤独であったかを示すものです。

ルソーは迫害され、スイスに亡命したのちにイギリス、フランスを転々とし、ヴォルテールやディドロら当時の思想界の主流と対立します。

しかしルソーは運命に甘んじて、反抗しないで生きることに決めました。孤独でいることに魂の平安を見出したのです。

ルソーは自然の息づくサン・ピエール島に心酔しました。そこで自然と触れあう中で、ルソーは植物採集にハマり、植物学に傾倒していきました。このあたりを読むと、孤独になったところで怖くない。周囲に自分を理解しているくれる友人などはいなくても、自分という存在はいると思えてきたのでしょう。

ともすれば散歩は単なる時間つぶし的な趣味の時間と捉えられがちですが、五十歳を過ぎてからの後半生にあらたな楽しみを提供してくれるものでもあるのです。

ちなみに『孤独な散歩者の夢想』は、ルソーの自伝『告白』（桑原武夫訳、全三巻、一九六五年）のいわばおまけとして書かれたものです。その意味で、『告白』と合わせて読むと、ルソーの陥った孤独感の極致に対する理解が深まるでしょう。ぜひご一読を薦めたい一冊です。

第9章

紀行文・時代小説・ミステリから総合小説まで繰り返し読みたくなる傑作エンタメの名著

松尾《まつお》芭蕉《ばしょう》

『おくのほそ道《みち》』

（久富哲雄全訳注、講談社学術文庫、一九八〇年）

旅に己の人生を重ね合わせる紀行文
俳句の面白さに共感できるお手本！

月日は百代《はくたい》の過客《かかく》にして、行きかふ年も又旅人也《またたびびとなり》。舟の上に生涯をうかべ、馬の口とらえて老《おい》をむかふる物は、日々旅にして旅を栖《すみか》とす。

古人も多く旅に死せるあり。予もいづれの年よりか、片雲《へんうん》の風にさそはれて、漂泊の思ひやまず、……

現代語訳

月日は永遠の旅人、往き交う年もまた旅人です。舟《ふな》子《こ》も馬子《まご》も日々が旅で、旅をすみかとし、旅に死んだ古人も多くいます。私もいつの頃からか漂泊の思いがやまず……、春の行く季節に自分も旅立ちます。

ポイント解説

知らない人はいないくらい有名な『おくのほそ道』の冒頭文です。文章自体がリズミカルでカッコいいので、音読で味わうのが私のおすすめです。

松尾芭蕉の紀行文が魅力的な理由の一つは、旅の先々に俳諧《はいかい》の友が待っているからです。友を訪ねながら巡る旅は楽しいものです。歩きながら言葉を拾い、あれこれ吟味《ぎんみ》するのも体と心のリズムが合って楽しい。

一つの場を共有する者が句を継いでいく「座《ざ》」という日本独特の文芸の型式をもちます。座は孤独を自覚する者同士が、日常性とは別次元の関係でつながり、生きる楽しみを共にする場であるとされます（尾形仂《つとむ》『座の文学』講談社学術文庫、一九九七年を参照)。芭蕉は自分の足で歩くことで、関東・東北・北陸を一つの巨大な「座の言語空間」につくりあげました(全行程六百里《り》＝約二千四百キロメートル)。『おくのほそ道』はさらにそれを文学的に再構成した作品です(収録句は全部で五十一句)。

うんちく

一部に誤解もあるようですが、『おくのほそ道』は、旅の途中に書かれた紀行文ではありません。旅から帰って五年間推敲《すいこう》されて発表されたものです。しかも完成したのは、芭蕉没後八年目の一七〇二年(元禄十五)のことです。

芭蕉の句をいくつかご紹介しましょう。

[平泉]「夏草や兵《つわもの》どもが夢の跡」(大意:今は夏草茂るこの丘はその昔、武将たちが功を競った夢の跡です。)

[立石寺《りゅうしゃくじ》]「閑《しずか》さや岩にしみ入る蟬《せみ》の聲《こえ》」(大意:静かな山寺の岩にしみ入るように蟬の声が澄みわたります。)

[酒田]「暑き日を海にいれたり最上川」(大意:最上川の滔々たる水流が暑い日を海に流したように涼しい日没です。)

[越後路]「荒海や佐渡によこたふ天河《あまのがわ》」(大意:日本海の荒波の上に佐渡島にかけて天の川が大きく横たわっています。)

芭蕉の作ったすべての句を読みたいのなら『芭蕉全句集 現代語訳付き』(雲英末雄他訳註、角川ソフィア文庫、二〇一〇年)があります。また、俳聖・芭蕉の違った一面が楽しめるものに嵐山光三郎『悪党芭蕉』(新潮文庫、二〇〇八年)、小林信彦『ちはやふる奥の細道』(新朝文庫、一九八八年)などがあります。ちなみに「悪党」とは、鎌倉後期以降、公家政権、荘園領主に対抗し各地で蜂起した集団のことで、今日の悪人のことではありません。

私も『おくのほそ道』はすばらしい日本文化だと思い絵本を作りましたので、興味のある方はご覧ください(齋藤孝『おくのほそ道 声に出すことばえほん』中谷靖彦・絵、ほるぷ出版、二〇〇八年)。

十返舎一九《じっぺんしゃいっく》

『東《とう》海《かい》道《どう》中《ちゅう》膝《ひざ》栗《くり》毛《げ》』

（興津要校注、講談社文庫、全二巻、一九七八年）

人生はゴールではなく、途中のプロセスこそ面白い——生き方の極意を教えてくれる弥次喜多《やじきた》道中記

武蔵野の尾花が末にかかる白雲と詠《よ》みしは、むかしむかし、浦の苫屋《とまや》、鴫《しぎ》たつ沢の夕暮に愛《め》でて、仲《なか》の町《ちょう》の夕景色を、しらざる時のことなりし。今は井の内に鮎《あゆ》を汲《く》む水道の水長《とこしなえ》にして、土蔵造りの白壁建ちつづき、香《こう》の物桶、明き俵、破れ傘の置き所まで、地主、唯《ただ》は通さぬ大江戸の繁昌、他国の目よりは、大道に金銀も蒔《ま》きちらしあるやうにおもはれ、何でもひと稼《かせ》ぎと、心ざして出かけ来るもの、幾千万の数限りもなきその中に、生国は駿州府中、栃面屋《とちめんや》弥次郎兵衛といふもの、親の代より相応の商《あき》人《んど》にして、百二百の小判には、何時でも困らぬほどの身代《しんだい》なりしが、安部《あべ》川町の色酒にはまり、その上、旅役者華水多羅四郎が抱《かか》への、鼻之助といへるに打ち込み、この道に孝行ものとて、黄金の釜を掘りいだせし心地して悦《よろこ》び、戯気《たわけ》のありたけを尽くし、はては身代にまで、途方もなき穴を掘り明て留め度なく、尻の仕舞《しまい》は、若衆とふたり、尻に帆かけて、府中の町を欠《か》け落ちするとて、

「借金は富士の山ほどあるゆへに　そこで夜逃げを駿河ものかな」

ポイント解説

江戸神田の長屋に住むご存じ「ただの親爺なり」の弥次郎兵衛（弥二）と「役者で居候《いそうろう》」の喜多八（北八）の珍道中の導入文です。最後の歌は、駿河出身の弥次さんが江戸に夜逃げした身の上を詠んだものです。

この後、次のような二人の掛け合い漫才風のテンポの良い会話で話が進んでいきます。声に出して読むと江戸時代の庶民のいきのよさが伝わってきます。

「北八『ナント弥次さん、つかねへこつたが、白い手拭《ぬぐい》をかぶると、顔の色が白くなつて、とんだいきな男に見へるといふことだが、ほんとうかの』弥二『ソリヤアちげへなしさ』〈中略〉北八『ナントどふだ。今の女どもが、おいらが顔を見て、うれしそふに笑つていつたは。どふでも色男はちがつたもんだ』弥二『わらつたはづだ。手めへの手拭を見や、木綿さなだのひもが、さがつていらア』北八『ヤアヤア、こりやア手拭じやアねへ。越中《えっちゅう》ふんどしであつた』」

古文を読んでいると、文語体で当時の人が話をしていたような錯覚をしてしまいがちですが、『東海道中膝栗毛』は現代の私たちにも分かる話し言葉で書かれています。大笑いも「ワハハハハ」と書いてあるので、江戸時代の文章とは思えないほど読みやすいです。

うんちく

私の実家は旧東海道沿い駿河《するが》（現・静岡県中部地方）にあったので、この小説に馴染みやすかったです。ここには東海道中の各地の名産や方言が織り交ぜられています。桑名では「その手は桑名の焼き蛤《はまぐり》」で有名な焼き蛤をへそに乗せてヤケドをします。小田原での五右衛門風呂の入り方が分からず風呂の底を抜かしてしまう場面など、今でも覚えています。親戚の家に五右衛門風呂がありました。板を踏んで入るのですが、釜ゆでの刑になった石川五右衛門の気分が味わえました。

ふたりはこんなふうに行く先々で失敗や騒動を惹《ひ》き起こすのですが、そのプロセスが楽しいと、「あがり」であるお伊勢さんはどうでもいいのかな、という気になってきます。この楽しみ方こそが江戸時代的であり、西洋文明が入ってくる前の日本人の精神性でした。

山本《やまもと》周《しゅう》五郎《ごろう》

『さぶ』（新潮文庫、一九六五年／改版二〇〇二年）

山本周五郎は文学賞を総辞退、園遊会出席も固辞して創作一筋――作品は作者の没後五十年間も読まれ続けている

小雨が靄《もや》のようにけぶる夕方、両国橋を西から東へ、さぶが泣きながら渡っていた。双《ふた》子《こ》縞《じま》の着物に、小《こ》倉《くら》の細い角帯、色の褪《あ》せた黒の前掛をしめ、頭から濡《ぬ》れていた。雨と涙とでぐしょぐしょになった顔を、ときどき手の甲でこするため、眼のまわりや頬が黒く斑《まだら》になっている。ずんぐりした軀《からだ》つきに、顔もまるく、頭が尖《とが》っていた。――彼が橋を渡りきったとき、うしろから栄二が追って来た。こっちは痩《や》せたすばしっこそうな軀つきで、おもながな顔の濃い眉《まゆ》と、小さなひき緊《しま》った唇が、いかにも賢そうな、そしてきかぬ気の強い性質をあらわ

しているようにみえた。

栄二は追いつくとともに、さぶの前へ立ち塞《ふさ》がった。さぶは俯《うつ》向《む》いたまま、栄二をよけて通りぬけようとし、栄二はさぶの肩をつかんだ。

「よせったら、さぶ」と栄二が云った、「いいから帰ろう」

さぶは手の甲で眼を拭《ふ》き、咽《むせ》びあげた。

「帰るんだ」と栄二が云った、「聞えねえのか」

「いやだ、おら葛西《かさい》へ帰る」とさぶが云った、「おかみさんに出ていけって云われたんだ、もう三度めなんだ」

ポイント解説

冒頭文を少し長めに引用しましたが、『さぶ』はさぶと栄二の友情物語です。時は江戸時代、この小説の舞台は江戸の真ん真ん中の日本橋小舟町《こふな》。江戸情緒を漂わせながら、現代的な感覚も含まれた名作です。

一事が万事、ぐずでへまばかりのさぶに対して、栄二は仕事も良く出来た。このように対照的ではありましたが、同い年の経師屋《きょうじや》の職人で仲良しでした。

男ふたりの物語なのに、タイトルが『さぶ』となっているのは、栄二にとってさぶがかけがえのない存在だからです。ふたりで支え合っている関係を心理学者のエリクソンは相互性《ミューチュアリティ》と呼びました。同じようなテーマのものにスタインベックの『ハツカネズミと人間』（大浦暁生訳、新潮文庫、一九九四年）があります。

うんちく

一口に言って山本周五郎はへそまがりです。それを示す逸話はたくさんありますが、有名なところは次の三つです。

その一。『日本婦道《ふどう》記』（一九四二年）が直木賞に推されましたが辞退します。その後も、あらゆる文学賞を辞退します。

その二。皇室主宰の園遊会に招待されましたが固辞します。

その三。山本周五郎という筆名は、若い頃働いていた質店の店名を借用しました。

尾崎士郎から山本周五郎は「曲軒《きょくけん》」というニックネームをつけられましたが、これはへそまがりの意味です。

なお、山本周五郎は一九六七年に亡くなりましたから、『赤ひげ診療譚《しんりょうたん》』、『季節のない街』、『柳橋物語』、『樅《もみ》ノ木は残った』、『栄花《えいが》物語』、『深川安楽亭』などの名作はすべて著作権切れとなりました。いままでは手軽に読めない名作も、「青空文庫」というサイトには無料で読めるものがたくさんありますので、興味のある方は探してみてはいかがでしょうか。

司馬《しば》遼太郎《りょうたろう》

『世《よ》に棲《す》む日日《ひび》』

（文春文庫、全四巻、新装版二〇〇三年）

吉田松陰、高杉晋作の生涯を描いた名作
彼らの想像を絶する気概、気骨に共感する

長州《ちょうしゅう》の人間のことを書きたいと思う。

いまでこそ、この長門《ながと》、周防《すおう》つまり防長《ぼうちょう》両国をあわせたこのあたりの山河はただの山口県と称せられるにすぎないが、以前はそうではない。

戦国期の毛利《もうり》氏といえば、安芸国《あきのくに》広島を根拠地としてその版図《はんと》は山陽・山陰十一カ国におよび、いわば中国筋《すじ》の王といわれるにふさわしく、天正期には中央勢力である織田氏とあらそったほどのきらびやかな歴史をもっている。

ポイント解説

時代劇が好きなら、間違いなく歴史小説にもハマれるはずです。その定番中の定番といえば、やはり司馬遼太郎の作品でしょう。

綿密な取材に、「司馬史観」と称される独特の歴史観が加味され、歴史上の人物が明るくイキイキと描写されているのが特徴です。かならずしも史実どおりではないかもしれませんが、記録にない隙間《すきま》をいかに想像力で埋めるかで、小説家の力量が問われます。その点において、司馬は間違いなく一級の小説家です。

私がお薦めしたいのは、ここに冒頭文を紹介した『世に棲む日日』です。一気に司馬作品の世界に引きずり込む力をもった、とても印象的な書き出しです。この作品は前半の二巻が吉田松陰、後半の二巻で高杉晋作

を描いています。ふたりは松下村塾《しょうかそんじゅく》における師弟関係です。松陰は塾生に対して激しいメッセージを送り続け、高杉は遊び心を持つ塾の俊英でした。そんなふたりの生き方を軸に、長州が倒幕に向かうという日本史上の大転換期を活写しています。

　彼らの気概・気骨の強靭さは、現代人から見れば想像を絶するものがあります。そのギャップと、同じ日本人としての共感が相まって物語の世界へ誘ってくれるのです。長編でありながら、筆致が軽くて読みやすいので、一日で一冊読めるでしょう。

うんちく

そのほか、司馬といえば、『竜馬がゆく』（文春文庫、全八巻、二〇一三年）があまりに有名です。全八巻に及ぶ長編小説ですが、読みだしたら止められないような疾走感と、歴史が大きく転換していくダイナミズムを感じることができます。

　あるいは『坂の上の雲』（文春文庫、全八巻、二〇一〇年）も、非常にファンの多い作品です。日露戦争を秋山好古《よしふる》・真之《さねゆき》という兄弟に焦点をあてて描ききったところに、歴史小説の面白さを感じます。

　おそらく歴史家が記述すれば、この兄弟の扱いはもっと小さかったはずです。当時の海軍なら東郷平八郎、陸軍なら乃木《のぎ》希典《まれすけ》や児玉源太郎といった「スター」がいるわけで、彼らに焦点を当てるのが筋でしょう。しかしこの小説を読むと、そういうスターの陰で国家に貢献した人物がいたということに気づかされる。「こういう人物のおかげで、日本は繁栄できたんだな」とあらためて感じられるわけです。

　また、若い女性を中心に人気がある司馬作品といえば、『燃えよ剣』（新潮文庫、全二巻、一九七二年）です。土方歳三《ひじかたとしぞう》を軸に、新選組の隆盛と衰退を描いた長編小説です。新選組はもともと武士に憧れた農家の若者の集団ですが、歴史の表舞台に立ったのは束の間で、結局は賊軍・敗北者として消えていきます。その切なさと、今日に残る土方のイケメンな肖像写真が、女性のハートをつかんでいるのでしょう。

サリンジャー

『ライ麦畑《むぎばたけ》でつかまえて』（野崎孝訳、白水社、一九八四年）／『キャッチャー・イン・ザ・ライ』（村上春樹訳、白水社、二〇〇六年）

複数の翻訳がある名作は、それぞれの工夫を比較しながら味わいたい

もしも君が、ほんとにこの話を聞きたいんならだな、まず、僕がどこで生まれたかとか、チャチな幼年時代はどんなだったのかとか、僕が生まれる前に両親は何をやってたかとか、そういった《デーヴィッド・カパーフィールド》式のくだんないことから聞きたがるかもしれないけどさ、実をいうと僕は、そんなことはしゃべりたくないんだな。第一、そういったことは僕には退屈だし、第二に、僕の両親てのは、自分たちの身辺のことを話そうものなら、めいめいが二回ぐらいずつ脳溢血《のういっけつ》を起こしかねない人間なんだ。（『ライ麦畑でつかまえて』野崎孝訳）

こうして話を始めるとなると、君はまず最初に、僕がどこで生まれたかとか、どんなみっともない子ども時代を送ったかとか、僕が生まれる前に両親が何をしていたかとか、その手のデイヴィッド・カッパフィールド的なしょうもないあれこれを知りたがるかもしれない。でもはっきり言ってね、その手の話をする気になれないんだよ。そんなこと話したところであくびが出るばっかりだし、それにだいたい僕がもしそういう家庭の内情みたいなのをちらっとでも持ちだしたら、うちの両親はきっとそろって二度ずつ脳溢血を起こしちゃうと思う。

〈『キャッチャー・イン・ザ・ライ』村上春樹訳〉

ポイント解説

成績不良と学業不熱心で東部の名門高校を退学処分になった十七歳のホールデン・コールフィールドは、寮を飛び出しニューヨークに戻りますが、自宅に帰ることもできず、街をさまよいます。しかし欺瞞に満ちた大人社会に嫌悪感を露《あらわ》にする彼は、行く先々でひどい目に遭い、惨めな気分を味わうばかり……。家に帰るまでの三日間をホールデン少年が一人語りする文体が鮮烈な印象を残し、永遠の青春小説として読み継がれています。

この小説は思春期の少年の心を、少年の言葉で語りきった記念碑的作品です。近年、村上春樹による翻訳が出版されて、再び注目を浴びています。野崎孝訳と並べて冒頭文を引用しましたので、野崎訳と村上訳のそれぞれの工夫を比較しながら味わってみてください。

うんちく

青春小説と呼ばれる作品のなかには、現実社会に反抗することだけを目的とした少年像や青年像を描いたものがあります。それだけでは読み手の共感を得ることはできません。

しかし、ホールデン少年の場合は共感できます。価値観としての優しさを持つ世代なのだと、肯定しながら読めるのです。そういう意味で、この作品はとても爽快な読後感を残します。さらに、翻訳の妙もありますが、ホールデン少年の語り口に耳を傾けるような気持ちで読み進むことができます。読みながら、自分のなかのナイーブな感覚や純粋な気持ちがかきたてられていきます。この小説は、非常に印象深い作品としてこれからも読み継がれていくものだと思います。

チャンドラー

『ロング・グッドバイ』（村上春樹訳、ハヤカワ・ミステリ文庫、二〇一〇年）

描かれている愛や友情は普遍的でウェット
中高年のハードボイルドな生き方の参考に

テリー・レノックスとの最初の出会いは、〈ダンサーズ〉のテラスの外だった。ロールズロイス・シルバー・レイスの車中で、彼は酔いつぶれていた。駐車係の男は車を運んできたものの、テリー・レノックスの左脚が忘れ物みたいに外に垂れ下がっていたので、ドアをいつまでも押さえていなくてはならなかった。酔っぱらった男は顔立ちこそ若々しいが、髪の毛はみごとに真っ白だった。泥酔していることは目を見れば明らかだが、それをべつにすれば、ディナー・ジャケットに身を包んだ、当たり前に感じの良い青年の一人でしかない。

ポイント解説

ちょっと息抜きがしたいなら、海外のミステリ（推理小説）がお薦めです。ミステリに慣れた人なら、古めのミステリ、たとえばアメリカの推理小説作家レイモンド・チャンドラーの、一連のハードボイルド小説はいかがでしょうか。数あるイチ押しミステリのなかで、私が押すのは『ロング・グッドバイ』です。この作品は私立探偵フィリップ・マーロウシリーズのなかでも最高傑作と折り紙つきです。

マーロウがはじめてテリー・レノックスに出会った時、彼はロールス・ロイスのなかで酔いつぶれていました。レノックスは億万長者の娘の夫です。ふたりは意気投合します。ある日、マーロウはレノックスから援《たす》けを求められ、この長編小説ははじまります。

うんちく

チャンドラーの描くフィリップ・マーロウのセリフは、すべて気の利《き》いたジョークでできていることに気づきます。どんな問いかけにもまともには答えません。ちょっとひねったジョークになっています。

このマーロウのジョークは、相手を愉快にさせるジョークとは違いますが、常に自分というものを崩さないスタイルを保っています。そして仕事に関しての報酬も一定の必要以上にはもらわない、すでにもらっているからそれ以上は受け取らないというスタンスです。

それでも頼まれた報酬の分だけの仕事はきちんとするし、たまには報酬以上のこともやってしまうということになるわけですが、仕事に対する倫理観みたいなものが、読んでいてとても心地いいのです。

マーロウは女性には結構モテるけれど、女性に惑わされることもないというハードボイルドな男ですが、情がないクールなだけの男というのでもまったくない。自分というものをもっていて、ちゃんと仕事の倫理観を優先させてやっていくというタイプです。

マーロウは、けっして上機嫌な人間ではありませんが、機嫌の上下動が少なくて安定しています。急に怒ったり、怒鳴ったり、キレたりする中高年というのは、ほんとうに周囲を不安にさせます。そうしたタイプではなく、自分というものを常に保っている、安定感のあるマーロウのような主人公をつくりあげたのは、チャンドラーの功績だと私は思っています。

『ロング・グッドバイ』には名言が欠かせませんが、一番有名なのはこれでしょう。

「ギムレットを飲むには少し早すぎるね」

このセリフは、マーロウとレノックスがバーで酒を酌み交わしながら交わす会話での決まり文句です。セリフは物語の最終場面で登場します。

蛇足ですが、このカクテルを飲むと、ライムの果汁とジンがガツンと喉《のど》を差すように流れてきます。まだギムレットの味を知らない方は、ぜひご賞味ください。

セルバンテス

『ドン・キホーテ』

（牛島信明訳、岩波文庫、全六巻、二〇〇一年）

妄想力をエネルギーにして旅に出る、熱くて滑稽な主人公の「もの悲しくも偉大なる」騎士冒険旅行譚

それほど昔のことではない、その名は思い出せないが、ラ・マンチャ地方のある村に、槍掛《やりか》けに槍をかけ、古びた盾《たて》を飾り、やせ馬と足の速い猟犬をそろえた型どおりの郷士が住んでいた。〈中略〉

われらの郷士はやがて五十歳にならんとしていた。骨組はがっしりとしていたものの、やせて、頬のこけた彼は、たいへんな早起きで、狩りが大好きであった。〈中略〉

ところで、知っておいてもらいたいのは、上述の郷士が暇さえあれば（もっとも一年中たいてい暇だったが）、われを忘れて、むさぼるように騎士道物語を読みふけったあげく、ついには狩りに出かけることはおろか、家や田畑を管理することもほとんど完全に忘れてしまった、ということである。

ポイント解説

「近代小説の幕開け」とされる『ドン・キホーテ』は、引用した冒頭文にもあるように、騎士物語の読みすぎで現実と物語の区別がつかなくなり、自らを「遍歴の騎士」と任じるドン・キホーテと、「将来、島を手に入れたあかつきには統治をまかせる」というドン・キホーテの約束に魅《ひ》かれて従者として旅に同行する農夫サンチョ・パンサの冒険物語です。

風車を見て「巨人の村だ」と突っ込んで吹き飛ばさ

れる有名な場面がありますが、当人たちはいたって本気です。

「『しっかりしてくだせえよ、旦那様《だんなさま》』と、サンチョが言った。『あそこに見えるのは巨人なんかじゃねえだ。ただの風車で、腕と見えるのはその翼。ほら、風にまわされて石臼《いしうす》を動かす、あの風車ですよ。』『ふうむ』と、ドン・キホーテが応じた、『お前はこうした冒険にはよほど疎《うと》いと見えるな。実は、あれらはいずれも巨人なのじゃ。だが、怖いなら、ここから離れておればよい。そして、拙者がたった一騎で多勢《たぜい》の巨人どもを向こうにまわし、死闘を繰り広げるあいだ、お祈りでも唱えておるがよい。』」

読み進めるうちにドン・キホーテが好きになってしまう、そんな魅力があるのです。全六巻を読み終わった時、ドン・キホーテと果てしない旅、気が遠くなるような旅をしたなというのが私の実感でした。それくらい私は『ドン・キホーテ』のもつ熱量に圧倒されました。

うんちく

ドストエフスキーは『作家の日記』（ちくま学芸文庫）で、『ドン・キホーテ』は人類の天才によってつくられたあらゆる書物のなかで最も偉大で最ものもの悲しい書物であると評しました。当時のスペインは、軍事力とキリスト教化による世界征服を夢見て戦争を繰り返したものの、黄金期を過ぎて衰えつつありました。セルバンテスも下級貴族の出でありながら、戦争に従軍して捕虜《ほりょ》になったり、罪を犯して投獄されるなど、多くの失敗や苦労を経て、投獄中に得た構想をもとに『ドン・キホーテ』を書いたと言います。ドン・キホーテという「熱くて滑稽な」キャラクターは、かつてスペインの隆盛を「熱く信じた」セルバンテスそのものだったのかもしれません。

セルバンテスは三度の旅のあと、故郷に戻るも熱病に倒れて、それが幸いして正気を取り戻しますが、やがて死んでしまいます。

トルストイ

『アンナ・カレーニナ』

（木村浩訳、新潮文庫、全三巻、一九七二年／改版二〇一二年）

破滅へと進む「不倫《ふりん》の恋」の物語
自業自得とはいえ、読者は切ない

幸福な家庭はすべて互いに似かよったものであり、不幸な家庭はどこもその不幸のおもむきが異なっているものである。

ポイント解説

ロシアの文豪トルストイの作品『アンナ・カレーニナ』は、高級官僚の妻アンナと若い将校ヴロンスキーの不倫を描いた恋愛小説です。アンナは夫も息子もいる人妻ですが、モスクワ駅で出会った若いイケメン将校とたちまち恋に落ちてしまうのです。小説は有名な冒頭文で始まります。

イケメン将校はペテルブルグに帰るアンナを追ってきます。そしてホームでアンナに気持ちを打ち明けるのです。

「『あなたが乗ってらっしゃることは、少しも、存じませんでしたわ。どうしてお帰りになるんですの？』鉄柱につかまろうとした片手をおろして、アンナはいった。と、おさえきれない喜びと生きいきした表情が、その顔に輝いた。『どうして帰るかですって？』相手はまともにアンナの目を見つめながら、鸚鵡《おうむ》返しにいった。『ご承知じゃありませんか、ぼくはあなたのいらっしゃるところにいたいから、こうしてやって来たんです』」

アンナはすっかり理性を失ってしまいます。このようにまさか自分は不倫なんかしないだろう、と思っているまじめな人が危ないのです。感情のコントロールができなくなるんですね。

恋愛に慣れている人は、自分の激情を上手にコントロールできるのですが、アンナのような無垢《むく》な女性は恋愛に溺れてしまって、最後は破滅してしまいます。

アンナは夫と離婚できないまま、ヴロンスキーの子供を生み、ふたりで海外に出奔《しゅっぽん》してしまいます。要するに駆け落ちです。

二人は再びモスクワに戻りますが、社交界からは締め出されます。そのうちヴロンスキーとのあいだにも溝ができ、絶望したアンナは列車に飛び込んで自殺してしまう、というかわいそうな結末です。

「不倫の恋も恋のうち」、なんて言いますが、やはり慣れていないことをやってはいけませんね。アンナは不倫の恋に没入してしまって、我を失います。自分がこれまで生きてきた価値観や大切にしてきたものを何もかも振り捨てて、極端な行動に走ってしまいます。そういう人はそもそも不倫をしてはいけないのです。

うんちく

トルストイに関する逸話を二つご紹介しましょう

(『図鑑 世界の文学者』ピーター・ヒューム著、日本語版監修齋藤孝、東京書籍、二〇一九年を参照)。

その一。内的独白を用いた。

トルストイは、物語に内的独白を取り入れた先駆的な作家です。登場人物の行動の動機やそこに至るまでの感情を著者が語るのではなく、登場人物自らが語るという手法は、当時としては非常に斬新でした。トルストイは内的独白を用いることで、登場人物の心の動きを鮮明に描き、読者をその世界に引き込んだのです。

その二。マハトマ・ガンディーに影響を与えた。

トルストイは教会の神学や教義を拒絶し、山上《さんじょう》の垂訓に基づくキリスト教の理念を支持しました。これは、汝の敵を愛し、「悪人に手向かってはならない」という教えです。非暴力の力や、その正当性に対するトルストイの信念は、文通相手のインドのマトハマ・ガンディーに大きな影響を与えました。悪への断固とした非暴力抵抗、すなわちサティヤーグラハ（真理の主張）というガンディー哲学の基礎は、トルストイの作品から生まれたと言っても過言ではありません。

ドストエフスキー

『カラマーゾフの兄弟《きょうだい》』

（米川正夫訳、岩波文庫、全四巻、一九二七〜一九二八年／改版一九五七年）

父親殺しをめぐるミステリ、次々に投げかけられる人生の諸問題——不朽の名作として読みつがれる大長編小説

アレクセイ・カラマーゾフは、本郡の地主フョードル・パーヴロヴィッチ・カラマーゾフの三番目の息子である。このフョードルは今から十三年前に奇怪な悲劇的な死を遂げたため、一時（いや、今でもやはり町でときどき噂が出る）なかなか有名な男であった。しかし、この事件は順序を追って後で話すこととして、今は単にこの『地主』が（この地方では彼のことをこう呼んでいた。そのくせ、一生涯ほとんど自分の領地で暮したことはないのだ）、かなりちょいちょい見受けることもあるけれど、ずいぶん風変りなタイプの人間である、というだけにとどめておこう。

ポイント解説

『カラマーゾフの兄弟』は、主人公アレクセイ・カラマーゾフの一代記です。引用した冒頭文にあるように、ドストエフスキーはアレクセイの父親フョードルについての説明から書き起こしています。

小説の全編を貫く柱は「父親フョードル殺し」なのです。犯人は長男のドミートリイか次男のイヴァンか、三男のアリョーシャか、はたまた婚外子の使用人のスメルジャコフか。ミステリのような興味を惹きながら、人生における諸問題を次から次へと投げかけてくるのです。

読めば、人生はなんと壮大なものかと感動させられます。この巧みな構成があればこそ、不朽の名作として読みつがれているのでしょう。

この長編小説のクライマックスとなる「大審問官《だいしんもんかん》」の場面を紹介しましょう。次男のイヴァンが三男のアリョーシャに長口舌《ちょうこうぜつ》をふるいます。

時は十六世紀、スペインのセビーリアの町にキリストが再来したという設定です。キリストは大審問官に捕えられ、裁判所の牢に入れられます。そんなイエスを相手に大審問官が一方的にまくしたてます。

大審問官は、イエスに、「わしがお前にいっておる通り、人間という哀れな生物は、生れ落ちるときから授かっている自由の賜物《たまもの》を譲りわたすべき人を、少しも早く見つけねばならぬ、この心配ほど人間にとって苦しいものはない。」と言い募り、イエスを、「お前は人間の良心を支配する代りに、かえってその良心を増し、その苦しみによって、永久に人間の心の国に重荷を負わしたではないか。」と断罪します。最後まで黙って聞いていたイエスは大審問官に無言のキスをして去ります。

うんちく

ここで本作を読破するコツをご紹介しましょう。

その一、細かいことにこだわらない。大筋をつかめばいいと割り切って、まずつまみ読みしてみましょう。メリハリをつけた読み方、これが本作を一冊読み切る第一歩です。

その二、通勤・通学電車で読む。大長編ですから三か月間は楽しめます。あえて通勤・通学に限定して読むと、この習慣は人生の良い思い出になるでしょう。

その三、解説書に目を通してから読む。江川卓『謎とき『カラマーゾフの兄弟』』（新潮選書、一九九一年）は格好の解説書です。これを先に読めば何倍も楽しめます。

その四、人物の図解を作る。いわゆる人物相関図ですす。たくさんの登場人物がいますが、図解化すると頭に入ってきます。

その五、訳を読み比べる。米川正夫、森田草平、広津和郎、原卓也、江川卓、亀山郁夫……どの訳書を選ぶかはあなた次第です。

ガルシア＝マルケス

『百年《ひゃくねん》の孤独《こどく》』

（鼓直訳、新潮社、二〇〇六年）

意味が分からない＝つまらない駄作ではない――冒頭は魅力的、二十世紀の最高傑作の一つ

長い歳月が流れて銃殺隊の前に立つはめになったとき、恐らくアウレリャノ・ブエンディア大佐は、父親のお供をして初めて氷というものを見た、あの遠い日の午後を思いだしたにちがいない。マコンドも当時は、先史時代のけものの卵のようにすべすべした、白くて大きな石がごろごろしている瀬を、澄んだ水が勢いよく落ちていく川のほとりに、葦と泥づくりの家が二十軒ほど建っているだけの小さな村だった。

ポイント解説

父はジプシーが持ってきた氷を初めて見て、「こいつは、世界最大のダイヤモンドだ」と言い、子は手をのせて「煮えくり返っているよ、これ！」と驚きの声をあげるのです。いまどきの話とはとても思えず、それでもその新鮮な感動の放つパワーに引きずられて、不可思議な面白みにはまってしまいます。とにかく面食らうことが多いのですが、冒頭文は非常に魅力的です。

ノーベル文学賞を受賞した『百年の孤独』は、「二十世紀文学の最高傑作の一つ」と称すべき作品です。何がすごいって、南米コロンビアで生まれたこの文学には、それまで私たちがヨーロッパ文学で馴染んできた世界とはまったく異なる世界がある、ということです。

言うなればそれは、時間と空間が迷路のように入り組み、現実と魔術が入り混じったような混沌とした世界。それに、ストーリーはうねうねとして「要約不能」です。でも、難しい思想はないし、一つひとつの

逸話には笑ってしまう場面も多いので、解釈を二の次にして異世界に遊ぶ感覚で読むのがいいでしょう。

うんちく

『百年の孤独』にハマると、この世界こそが人間の無意識の世界だと思えて、私たちがふだん読んでいる小説が薄っぺらく感じられるほどです。一気に読む本ではないので、夜に余裕のある時間にこの世界に戻る、また戻る、を繰り返す感じで読むといいでしょう。「堂々巡りの時間」にゆったり身を任せるように。

それもそのはずで、この作品はもともと混乱させることを目的として書かれています。複数の人物が同じ名前で登場したり、現実と空想の世界を行き来したり、巡り巡って元のシーンに戻ったりするわけで、すんなり理解しようというほうがどだい無理な注文です。

しかし、それこそがこの作品の持ち味であり、深みをもたらしています。「意味が分からない」と早々に本を閉じずに、いつか折を見て、ふたたび開くことをお薦めしたい。いわば書棚で「熟成」させておくわけです。

というのも、必らずしも「意味が分からない＝つまらない駄作」ではないからです。混乱していること自体を受け入れるのも、読み方の一つのスタイルです。そもそも小説というものは、さまざまな解釈が可能だからこそ面白いのです。新聞等で使われる「実用日本語」とは対極的に、ニュアンスが曖昧な「文学的日本語」というものが存在するわけです。小説を読み慣れてくると、「分からないのも味のうち」、「分からないのはきっと自分だけではない」と分かるようになります。

南米というと陽気な印象もあるかもしれません。この登場人物たちも、たしかにエネルギーに溢れています。しかし、みなどこかに孤独を抱えています。この孤独は、個人の孤独であると同時に、南米大陸そのものの孤独でもあります。欧米の世界と比べた時に、対照的に明らかになる南米の孤独の陰。それが、『百年の孤独』のうねうねした迷路の世界に、まさに陰影を与えています。その陰《かげ》りは、日本的風土では味わえないブルーチーズのテイストをもっています。

第10章

戦争を知らない親子でも、ともに語り合いたい「あの時代」のリアルを描いた名著

吉田《よしだ》 満《みつる》

『戦《せん》艦《かん》大和《やまと》ノ最《さい》期《ご》』（講談社文芸文庫、一九九四年）

日本軍は、なぜアメリカ軍に勝てなかったのか——零戦（ぜろせん）に始まり大和（やまと）で終わった日本の太平洋戦争

[碇泊〕
昭和十九年末ヨリワレ少尉、副電測士トシテ「大和」ニ勤務ス／二十年三月、「大和」ハ呉軍港二十六番浮標（ブイ）ニ繋留中　港湾ノ最モ外延ニ位置スル大浮標ナリ／来ルベキ出撃ニ備エ、艦内各部ノ修理ト「ロケット」砲、電探等増備ノタメ、急遽「ドック」ニ入渠ノ予定ナリ

ポイント解説

本書は、戦艦大和の出撃から沈没までを艦上で見守った吉田満が、自らの体験を綴った戦記です。冒頭文は一九四五年三月二十九日、出動命令を待つ戦艦大和の様子です。

出動命令が出たのが四月三日、米軍の猛攻撃を受けて沈没するのが四月七日。そして生還するまでが時系列にそって、文語体で記されています。以下、いくつか読みどころをご紹介しましょう。

〔開戦〕
「一二二〇（十二時二十分）対空用電探、大編隊ラシキモノ三目標ヲ探知ス／同電探室室長、長谷川兵曹持前ノ濁《ダ》ミ声、流ルル如ク測距測角ヲ報ズ『目標補足イズレモ大編隊　接近シテクル』／直チニ艦隊各艦宛緊急信号ヲ発ス」

〔最終処置〕
「艦長『総員上甲板』ノ下命、繰返サル　艦長伝令ヨリ口伝ニテ各部ニ伝ウ／寥々タル生存者／スデニ時期

ヲ失セシコトハ明ラカナルモ、沈没ニ備ウベキ処置完了シタレバ、タダ一人ニテモ多ク救ワントセラレタルナリ／アアコノ時コノ命令ヲ『総員退去、脱出用意』ノ意ニ解セシモノ、一兵トテアリシカ／カツテナキ特攻葬送作戦ノ、征途半バニ展開セル悪戦苦闘ノ末ニ、誰カナオ一縷ノ生還ヲ期スルモノアラン／シカモ『大和』兵員ニシテ、残存僚艦スデニ作戦命令ヲ解カレ、人員救出、北上ニ決セリト知ルベキ由モナシ／『総員死ニ方用意』我ラガ待チ設ケタルモノ、タダコレノミニ非ズヤ／上甲板、トハスナワチ、死ノ清装ヲモッテ、上甲板ニ最後ノ整列、ノ意ト直感シタルナリ／『大和』ノ最後、万一数刻ノノチナランカ、燃料過半ヲ消費シテ帰還ヲ保スルニ足ラズ／残党モッテ、遮ニ無ニ突入ノホカナカリシナリ／サワレ総員救出命令ノ、余リニ遅カリシ」

うんちく

戦艦大和は「世界史上最大の不沈戦艦」と評価されていました。最大の特徴は、四十六センチの主砲が九門揃っていて、砲弾は最大四万二千メートルまで飛ばせたことです。

しかし、実戦ではほとんど何の働きもできずに、最後は沖縄特攻で鹿児島・坊ノ岬沖に沈められてしまいます。いくら巨大戦艦と言えども、しっかりした戦略がないと無用の長物になります。

大和と双璧をなす戦闘機「零戦《ぜろせん》（零式艦上戦闘機）」の最大の特徴は三千キロにも及ぶその航続力（航空距離）です。零戦は太平洋戦争の緒戦（真珠湾攻撃）のエースとして、嚇々《かくかく》たる戦果をあげました。しかしマリアナ沖海戦あたりから次々と撃退されました。日本は総合的な戦力で負けたのでした。

著者の吉田満は学徒動員（一期）出身の少尉です。兵科の電側士《でんそくし》として暗号解読、通信解析が任務でした。大和は撃沈されましたが、彼は漂流中に護衛艦に救助されて奇跡の生還を遂げ、本書のような記録を遺すことができました。高校生、大学生諸君、襟《えり》を正して読んでみてはいかがでしょうか。

吉村《よしむら》　昭《あきら》

『戦艦武蔵《せんかんむさし》』

（新潮文庫、一九七一年）

全編の七割は、〝不沈〟戦艦武蔵の建造物語
壮絶な終焉までを克明に綴った戦史文学の名著

昭和十二年七月七日、蘆溝橋《ろこうきょう》に端を発した中国大陸の戦火は、一ヵ月後には北平《ペーピン》を包みこみ、次第に果しないひろがりをみせはじめていた。

その頃、九州の漁業界に異変が起っていた。

初め、人々は、その異変に気づかなかった。が、それは、すでに半年近くも前からはじまっていたことで、ひそかに、しかしかなりの速さで九州一円の漁業界にひろがっていたのだ。

初めに棕櫚《しゅろ》の繊維が姿を消していることに気づいたのは、有明海沿岸の海苔《のり》養殖業者たちであった。かれらは、海水の冷える頃、つまり九月末から十月はじめにかけて、海中に浮游《ふゆう》している海苔の胞子を附着させるため、浅い海に竹竿《たけざお》を林立させ、そこに棕櫚製の網を海面に水平に張る。その例年の張りかえを行うために棕櫚の網を注文したのだが、意外にも漁具商には一筋の棕櫚繊維もないことが発見されたのだ。

ポイント解説

有明海沿岸から棕櫚がなくなる冒頭文のこの場面からして、まるでミステリ作品を読むような緊張感を読者に要求する小説です。しかし、これはミステリでは

ありません。歴史小説です。いや、この作品は歴史史料と言ってもいいでしょう。それだけ綿密な調査と、それにもとづく事実に徹した執筆態度に頭が下がります。

蘆溝橋は北京郊外の永定河《えいていが》にかかる、全長二百六十七メートルの大理石の橋のことです。一九三七年（昭和十二年）七月に、ここで日本軍と中国軍の軍事衝突が起こったのでした。不拡大のはずが、どんどん広がり、やがて日中戦争となります。

北平とは、北京《ペキン》の当時の呼称です。棕櫚は、主に庭木に用いますが、葉をブラシなどにもしました。ここでは、三菱重工業長崎造船所で建造中の武蔵を、回りから隠すための、棕櫚すだれにする材料のためでした。

吉村はこう述べています。

「私は、棕櫚という植物に大きな刺戟をうけていた。壮大な船台の周囲に垂れるシュロスダレ。戦艦との取り合わせは異様だが、それだけに『武蔵』という巨大な怪物の生誕所としては恰好の遮蔽物に思えた。」（吉村昭『戦艦武蔵ノート』文春文庫、一九八五年）

うんちく

この小説の七割は武蔵の建造物語です。では、残りはなにかといえば、武蔵が沈没するときの話などです。

「艦の傾斜速度は急に早まり、海水を大きく波立たせて左に横転すると、艦首を下にして、徐々に艦尾を持上げはじめた。艦にしがみついている乗組員たちの姿が、薄暗くなった空を背景に艦尾の方へしきりと移動しているのが見える。艦首が没し、やがて艦橋が海中に没すると直立するように艦尾が海面に残った。〈中略〉艦尾とともにそれらの人影が海面から消えたのはそれから間もなくであった。」

〝不沈〟戦艦武蔵は、防禦が手薄な艦首付近の浸水がはげしく、艦首から沈んでいきました。一九四四（昭和十九）年十月二十四日、レイテ島の戦いで米軍爆弾十七発、魚雷二十本を受けましたが、五時間以上にわたり浮上していたといいます。次に紹介する『レイテ戦記』は地上戦（陸軍）ですが、こちらは海戦（海軍）です。戦場は同じフィリピンでの話です。

大岡昇平《おおおかしょうへい》

『レイテ戦記《せんき》』（全三巻、中公文庫、一九七四年）

修辞性なき文体で再現した太平洋戦争の天王山の死闘——大岡昇平の代表作にして、戦記文学の金字塔

> 比島派遣第十四軍隷下の第十六師団が、レイテ島進出の命令に接したのは、昭和十九年四月五日であった。〈中略〉十六師団（通称垣《かき》）は戦争初期、バターン半島の苦しい攻略戦を受け持たされた不運な師団であった。九聯隊《れんたい》（京都）、二十聯隊（福知山）、三十三聯隊（津）の歩兵三個聯隊を基幹とし、バターン戦終了後もフィリピンに止《とど》まって、ルソン島中部及び南部の警備に任じていた。

ポイント解説

冒頭文を簡潔に解説しましょう。第十六師団が出てきますが、軍の最大の単位が師団です。師団は聯隊から構成されています。徴兵された兵は、出身地により、入営する旅団が決まっていました。以上は陸軍の話です。

正直に言いますと、私は当初、この小説を本書に収録すべきかどうか躊躇《ちゅうちょ》しました。冒頭文からしてまるで修辞性のない文章だからです。しかし、これこそが大岡の考えた、戦争のリアルを伝える文体だったのです。

それにしても大岡はなぜ十六師団から書き始めたのでしょうか。それは著者がこの師団に所属したからです。この本は著者の自伝なのです。自分の体験を次世代に伝えたい、その思いからこの本は生まれたのです。

うんちく

大岡昇平は一九四四年（昭和十九）三月、三十五歳

で教育召集されました。普通なら兵隊にとられない年齢ですが、そのまま臨時召集に切り替わって召集されたのでした。当時、大岡はすでに家庭を持っていて子供が二人いました。この年の六月にフィリピン戦線へ向かいました。陸軍二等兵として最前線へ立たされ、翌年一月から米兵と交戦しました。彼はのち捕虜としてレイテで収容所生活を送り、同年暮れに復員しました。復員時、彼の歯は全部抜けてなくなっていたそうです。

さて、いよいよ、大岡昇平が伝えかった戦争体験を書かねばなりません。大岡が体験した戦争とは、無謀で悲惨だから、してはならないということでしょうか。いいえ、それだけではありません。一例を挙げます。

『レイテ戦記』にはこんな文章があります。

「山本五十六提督が真珠湾を攻撃したとか、山下将軍がレイテ島を防衛した、という文章はナンセンスである。真珠湾の米戦艦群を撃破したのは、空母から飛び立った飛行機のパイロットたちであった。」

戦争を個人の兵士レベルで具体的に描写するのです。『レイテ戦記』には、すごい話がいくつもでてきます。

日本兵が降伏したと見せかけて白旗を掲げたあとに敵を撃ちます。これを聞いた兵士が「うまくやりよったな」と感心します。これに対して大岡は「いつからわれわれはこうなってしまったのか」と厳しい批判の眼を向けます。

人肉を喰う話もでてきます。それも敵軍のではなく友軍の敗残兵の。

「喰った者の顔には、なんともいえない不気味な艶があってすぐわかったといわれる。しかしこれは人肉という神秘的な食物を摂ったために現われる特殊な現象ではない。含水炭素ばかり摂取していた人間が、不意に蛋白質を摂るから皮膚に艶が出るのである。」

生死の境に立たされていたのだから、人肉を喰う兵士もいたのでしょう。米兵やフィリピンゲリラに出会ったら、銃の引き金を引く兵士もいたかもしれません。

人肉を喰うことや人を撃つことを称賛する気はありませんが、極限の状況では仕方ないかと思います。しかし、大岡は戦場では決して引き金をひきませんでした。彼は人を殺さないということにこだわりました。

林《はやし》尹夫《ただお》

『わがいのち月明《げつめい》に燃《も》ゆ』

（ちくま文庫、一九九三年）

太平洋戦争末期に戦没した京大生・林尹夫の遺稿集――出陣が迫っているのに読書を止めないで書き遺した

今や、私はまったく、自らの責任のもとに、自らを指導すべき位置に立っている。

私はこの栄光ある立場を検討して、真面目な、有意義なものたらしめてゆかねばならない。

そのために、英語（二時間）、独語（一時間）、思想の把握（二時間）、その他の学課を着実に勉強してゆくことにより、その責を為し得ると信ずる。英語、独語、思想の把握は、slow but steady（ゆっくりと、だが着実に）でやってゆこう。また学課は、毎日毎日疑問点なく理解してゆこう。べつに暗記する必要は全然ないのである。

ポイント解説

本書は、京都帝国大学の学生だった林尹夫の日記や詩、手紙などをまとめた遺稿集です。林は終戦のわずか三週間ほど前、単身搭乗していた偵察機が四国沖で米軍機に撃墜されて亡くなります。

彼は入隊後から死の直前まで本を読み続け、語学と西洋史の勉強を欠かしませんでした。

引用した冒頭文は第三高等学校一年生になりたての、一九四〇年（昭和十五）四月六日の日記です。ここにあるように、同書には学問への情熱、家族や友人・恩師への思い、国家や軍隊生活に対する疑問、そして不安な日々の中で自らを律する言葉が克明に綴られています。たとえば勉強を続ける理由については、自らに言い聞かせるようにこう述べています。

「いったいおれが、生きて娑婆《しゃば》に還れるかどうか。その可能性はきわめて少ない。いな、ほとんどない。ましてそれまでに、外国語を使う機会があるなどとは到底、考えられぬ。しかしおれはいまでも『西欧的なものとはなにか』という問題を捨てないし、一生それを追いつづけてゆきたいと思っている。〈中略〉それゆえに私はなによりも欧州の言語をわが物とする必要があるのだ。それは役に立たぬ。有用性から言えば、無用の努力だ。しかし真に西洋を探究せんとする以上、とにかく、そのような態度で生きる事が肝要なのである。それゆえにこそ、おれは外国語をやりたいと思うのである。またやるべきであると思うのだ。」

これほど明晰な知性と自由な精神を持つ学徒を、半ば強制的に死に追いやってしまった当時の状況を思うと、切なくなるばかりです。

うんちく

一九四三年（昭和十八）十月二日、戦況の悪化とともに兵力が不足してくると、時の東条英機内閣は勉学途中の二十歳以上の文科系学生の徴兵に踏み切ります。それまで二十六歳までの大学生・専門学校生は兵役を免除されていましたが、その規定を撤廃したのです。

秋雨の降る十月二十一日、東京の明治神宮外苑競技場（現・新国立競技場）で開かれた文部省と学校報国会の共同主催の「出陣学徒壮行会」には、出陣する男子学生約二万五千人、それを見送る女子学生約六万五千人が参加。国威発揚のため、ＮＨＫラジオで実況中継されました。ちなみに壮行会は東京だけではなく、仙台、名古屋、大阪それに台湾、朝鮮でも開かれました。

林尹夫が手記を書き残さなかったら、この遺稿集は存在しませんでした。同世代の大学生・高校生諸君にはぜひとも読んでほしいものです。生きる上で大事なことが肉声でひしひし伝わってきます。

私は、受験生の頃に読み、勉強の励みにしていました。自分は平和な環境で学べることに感謝しつつ、多少なりとも遺志を継がなければならないと自らを鼓舞したわけです。

梯《かけはし》 久美子《くみこ》

『散《ち》るぞ悲《かな》しき――硫黄島総指揮官《いおうとうそうしきかん》・栗林忠道《くりばやしただみち》』（新潮文庫、二〇〇八年）

弾丸尽き水涸れ、地獄と化した戦争末期の激戦地・硫黄島――三十六日間持ちこたえた司令官と部下たちの最後の突撃の記録

その電報のことに話が及ぶと、それまで饒舌《じょうぜつ》だった彼がしばし沈黙した。そして、つと姿勢を正し目を閉じて、八五歳とは思えぬ張りのある声で誦《しょう》したのである。

戦局　最後の関頭に直面せり
敵来攻以来　麾下《きか》将兵の敢闘は
真に鬼神《きじん》を哭《な》しむるものあり〈中略〉
今や弾丸尽き水涸《か》れ
全員反撃し　最後の敢闘を行わんと……
〈中略〉

「うちの閣下が、最後に遺《のこ》した言葉です。今もこうして、口をついて出てきます。一言一句、忘れることができんのです」

彼、貞岡信喜《さだおかのぶき》が「うちの閣下」と呼ぶのは、太平洋戦争末期の激戦地・硫黄島《いおうとう》の総指揮官として二万余の兵を率い、かつてない出血持久戦を展開した陸軍中将、栗林忠道《くりばやしただみち》である。

ポイント解説

まず、この当時の戦況を簡潔に説明しておきます。日本は、一九四四年（昭和十九）十月下旬にはじまったフィリピンのレイテ島での戦いに大敗しました。絶対《ぜったい》国防圏《こくぼうけん》の内側で負けたのです。米軍が次に狙うのは、硫黄島と思われます。ここは東京から千二百五十キロ南方にある、水も食べ物もない孤島です。しかし硫黄島

には飛行場が三つもあります。アメリカを発った戦闘機のB－29が、日本攻撃の中継基地にするには絶好の場所です。

中部太平洋の硫黄島は沖縄と同じ緯度に位置しています。上空からはしゃもじみたいに見えます。硫黄島は起伏の乏しい、平坦な土地が特徴です。毎年、台風の予想上陸地点として話題になるくらいでしょう。東京都の小笠原諸島の南端の島の一つで、硫黄島《いおうとう》というのが正式名称です。

さて、冒頭文にある電報とはなんのことでしょうか。

この電報は、一九四五（昭和二十）年三月十六日に、大本営あてに栗林が司令部壕（地下要塞《ようさい》）から発した決別の電報です。これは実際には、硫黄島の全将兵に呼びかけたものです。栗林は三十六日間にわたり、硫黄島を持ちこたえました。栗林は三月二十六日、「最後の突撃」を敢行し、組織的抵抗は事実上終わりました。

冒頭文には「真に鬼神《きじん》を哭《なか》しむるものあり」ともあります。これは神々を慟哭させずにはおかないような哀切な戦闘という意味で、当時の軍人の常套句です。指揮官として、みなで徹底抗戦したら、ここ硫黄島で一緒に死んでくれと部下に頼んでいるのが切ないです。

退却は許されないのです。それでも栗林は上陸する敵を水際で叩く作戦は有効ではないとして、とりませんでした。陣地を造り、島全体の地下に塹壕をめぐらし、米軍に抵抗するのです。それは本土決戦のための時間稼ぎでした。米軍を、一日でも長くこの島に引き留めることが狙いです。しかし、ついに、栗林以下四百人の守備隊（第百九師団）は三月二十六日、「最後の突撃」を敢行し、硫黄島は陥落、組織的抵抗は事実上終わりました。

うんちく

栗林中将の話は、クリント・イーストウッド監督の映画『父親たちの星条旗』、『硫黄島からの手紙』で一躍有名になりました。両作では日米両方から沖縄戦を比較的客観的に描いていると思います。本作は二〇〇六年に公開されて、日本でもヒットしました。

原民喜《はらたみき》

『夏《なつ》の花《はな》』

（岩波文庫、一九八八年）

原民喜は広島で被爆《ひばく》、のちに轢死《れきし》　静謐《せいひつ》な諧調《かいちょう》正しい鎮魂歌《ちんこんか》

私は街に出て花を買うと、妻の墓を訪れようと思った。ポケットには仏壇からとり出した線香が一束あった。八月十五日は妻にとって初盆《にいぼん》にあたるのだが、それまでこのふるさとの街が無事かどうかは疑わしかった。恰度《ちょうど》、休電日ではあったが、朝から花をもって街を歩いている男は、私のほかに見あたらなかった。その花は何という名称なのか知らないが、黄色の小弁《こべん》の可憐《かれん》な野趣《やしゅ》を帯び、いかにも夏の花らしかった。

ポイント解説

広島に原爆投下されたのは一九四五年（昭和二十）八月六日でした。冒頭文にあるように、この小説は原爆投下されたその日の記述から始まります。原爆は広島市の中心部の上空で爆発して、市民約二十万人が命を奪われました。現在でも多くの人が放射能障害で苦しんでいます。原民喜は、兄宅へ疎開していて被爆しました。

冒頭文のすぐ後に、被爆時の生々しい記述が続きます。

「私は厠《かわや》にいたため一命を拾った。八月六日の朝、私は八時頃床《とこ》を離れた。前の晩二回も空襲警報が出、何事もなかったので、夜明前には服を全部脱いで、久《ひさし》ぶりに寝巻に着替えて睡《ねむ》った。それで、起き出した時も

パンツ一つであった。妹はこの姿をみると、朝寝したことをぷつぷつ難じていたが、私は黙って便所へ這入《はい》った。それから何秒後のことかはっきりしないが、突然、私の頭上に一撃が加えられ、眼の前に暗闇《くらやみ》がすべり墜《お》ちた。私は思わずうわあと喚《わめ》き、頭に手をやって立上った。嵐のようなものの墜落する音のほかは真暗《まっくら》でなにもわからない。手探りで扉を開けると、縁側があった。その時まで、私はうわあという自分の声を、ざあーというもの音の中にはっきり耳にきき、眼が見えないので悶《もだ》えていた。しかし、縁側に出ると、間もなく薄らあかりの中に破壊された家屋が浮び出し、気持もはっきりして来た。」

うんちく

原爆投下などにより、日本の終戦は早まったとされます。これは事実ですが、問題は、アメリカが原爆投下を決めたのがいつかです。アメリカはポツダム宣言初出の段階（七月二十六日）で原爆投下のゴーサインを出していた、というのが現在の研究です。ですから、ポツダム宣言受諾の意思を日本側がもっと早く出していたら、広島、長崎への原爆投下は避けられた、というのは誤りです。

原は被爆の影響と思われる、下痢《げり》や皮膚の斑点《はんてん》、抜け毛などが見られましたが、それらはやがて治まりました。白血球は激減していましたが、さしあたり心配はないようでした。

原民喜には「沙漠の花」という作品があります。二〇一六年に本屋大賞を受賞した宮下奈都『羊と鋼の森』（文春文庫、二〇一八年）に、ピアノ調律師の理想の音を表す文章として引用されています。

「明るく静かに澄んで懐かしい文体、少しは甘えているようでありながら、きびしく深いものを湛《たた》えている文体、夢のように美しいが現実のようにたしかな文体」

原文は「私はこんな文体に憧れている。だが結局、文体はそれをつくりだす心の反映でしかないのだろう」と続きます。全文は青空文庫で公開されています。

戸部良一《とべりょういち》他

『失敗《しっぱい》の本質《ほんしつ》——日本軍《にほんぐん》の組織論《そしきろん》的研究《てきけんきゅう》』（中公文庫、一九九一年）

日本はなぜ太平洋戦争で負けたのだろうか!?——「アメリカと戦ったから」。数字の上でも自明

大東亜戦争（戦場が太平洋地域にのみ限定されていなかったという意味で、本書はこの呼称を用いる）において、日本は惨澹《さんたん》たる敗北を喫した。したがって悲惨な敗戦を味わった日本人が、戦後、なぜ敗けたのかを自問したのも当然であった。そして、やがて開戦前の状況についての真相が徐々に明らかになるにつれ、国力に大差ある国々を相手とした大東亜戦争は、客観的に見て、最初から勝てない戦争であったことが理解された。〈中略〉本書は、なぜ敗けたのかという問題意識を共有しながら、敗戦を運命づけた失敗の原因究明は他の研究に譲り、敗北を決定づけた各作戦での失敗、すなわち「戦い方」の失敗を扱おうとするものである。〈中略〉より明確にいえば、大東亜戦争における諸作戦の失敗を、組織としての日本軍の失敗ととらえ直し、これを現代の組織にとっての教訓、あるいは反面教師として活用することが、本書の最も大きなねらいである。

ポイント解説

作家で旧海軍出身の阿川弘之《あがわひろゆき》は、こんなジョークを書いています。日本は、なぜ負けたのかと聞かれたか

ら、アメリカと戦争したから負けたんですと。あの戦争の敗因は、アメリカと戦ったことだと（阿川弘之・半藤一利『日本海軍、錨揚ゲ！』PHP文庫、二〇〇五年）。

冗談めかしていますが、真実をついた発言に思えます。『失敗の本質』を読むと、そのことが分かります。この本は、冒頭文にあるように、日本軍の失敗から組織運営に活かせる教訓を得ることをねらいとしており、今もリーダーや経営者に読まれている名著です。

本書では、太平洋戦争におけるノモンハン事件、ミッドウェー作戦、ガダルカナル作戦、インパール作戦、レイテ海戦、沖縄戦の六つの詳細な事例比較研究がなされていますが、ノモンハン（対ソ連戦）とインパール（対英印戦）を除く四例がいずれもアメリカ相手で行われており、日本はものの見事に敗れています。

その敗因を一言で言えば「日本軍の環境変化への適用の対応の失敗」です。日本は陸軍と海軍が対立していて、たとえば、仮想敵国を陸軍は米国、海軍はソ連としました。陸軍は大陸（北満州）に展開する白兵銃剣戦主義であり、海軍は太平洋に展開する艦隊決戦主義でした。結局この戦略は統合されないままに敗戦しました。これに対して米軍は、水陸両用作戦のドクトリンを開発していました。そのために特有の兵種「海兵隊」を発展させ、陸海空を有機的に統合させたタスクフォース組織を作り上げ勝利したのです。

うんちく

「八紘一宇《はっこういちう》」という言葉があります。一九四〇年（昭和十五）に近衛文麿《このえふみまろ》首相が基本国策要綱のなかで使い、いつしか大東亜新秩序建設のスローガン、イデオロギーになりました。言葉の出所は『日本書紀』で、最初の使用者（造語者）は宗教家・田中智学《ちがく》です。

ところで、日本の敗戦はいつかご存じですか？　八月十五日？　いえ、正しくは一九四五年（昭和二十）九月二日です。この日、日本はポツダム宣言を受諾し降伏文書に調印しました。八月十五日は昭和天皇の詔《しょう》勅《ちょく》をラジオで国民に発表した日です（いわゆる「玉音《ぎょくおん》放送」）。

半藤一利《はんどうかずとし》

『日本《にほん》のいちばん長《なが》い日《ひ》〈決定版〉』

（文春文庫、一九九五年）

ポツダム宣言の重要項目を見逃がした政府
天皇の〝聖断〟で、ことなきを得たお粗末

「ただ黙殺するだけである」

　ポツダム宣言が東京の中枢神経を震撼《しんかん》させた運命の日の朝は、ひるの暑さを偲ばせるカラッとした晴天であった。今夜は何事もおこるまいと関係筋が見当をつけたその夜中に、海外からの電波は巨大な楔《くさび》を日本の歴史にうちこんできたのである。

　開戦いらい四年、戦局は日本に絶望的なものとなっていた。世界を相手に一国となって戦い、降伏するか、徹底抗戦か、日本の運命を決すべきときがせまっていた。そのときであったから、多くの関係者は突然のようでもあり、当然来たるべきものがきたと感じながら、ポツダム宣言をうけとめた。しかし混乱と緊張は隠すべくもなく、驚きと狼狽はとくに軍部においてはげしかった。省部に登庁と同時に軍人たちはいいあわせたように叫んだ。「おい、スターリンの名前は入っているか」と。日本に宣戦をしていないソ連首相が、宣言に名をつらねていないことの当然さに気づくのは、最初にうけた驚きが静まってからのことであった。

ポイント解説

冒頭文を簡潔に説明します。沖縄を占領した米軍は、戦争終結のために、日本の軍隊に無条件降伏を求めるポツダム宣言を発表しました。

省部とは「陸軍省、海軍省、参謀本部」のことです。

一九一七年（大正六）、帝政ロシアで革命がおこり、社会主義政権が誕生します。これを指導したレーニンに代わり、スターリンがソ連の首相になります。

日本とソ連で、一九三九年（昭和十九）五月中旬～八月末にノモハン事件が勃発。関東軍とソ連軍の満州国境を巡る激突でした。日本軍はほぼ撃破されました。

ポツダム宣言までの流れを見ておきましょう。

一九四三年十一月二十七日にエジプトのカイロでカイロ宣言が発表されます。この主旨は、日本が無条件降伏をするまで戦争は継続する、というものでした。そののち、一九四五年二月四日、米・英・ソの首脳がソ連のヤルタで会談します。ヤルタ会談で、ソ連はドイツ降伏後の対日参戦を約束しました。

そしてポツダム宣言です。米・英・ソの首脳がドイツのポツダムにおいて、七月二十六日に宣言を発表しました。

なお、ソ連との戦闘は九月なかばまで続きます。

うんちく

この本は、日本が無条件降伏した八月十四日正午から翌日正午までの、まる一日間を記録したノンフィクションです。冒頭にある「黙殺」とは、日本政府（鈴木貫太郎首相）のポツダム宣言に対する姿勢です。

しかしこれは、とんでもない対応でした。ポツダム宣言の第十三項にはこうあります。

（日本政府が）「直ちに全日本国軍隊の無条件降伏を宣言するよう」（要求し、そうでない場合、日本国には）「迅速にして完全なる壊滅あるのみである」。

この重要項目を見逃しての「黙殺」でした。結局、天皇の「聖断」で政府はポツダム宣言を受諾します。かくして、太平洋戦争は終戦となり、天皇の「玉音放送」で国民に伝えられました。なお、日本が正式に降伏したのは、九月二日、ミズーリ艦上においてでした。

アンネ・フランク

『アンネの日記《にっき》』

（増補新訂版、深町眞理子訳、文春文庫、二〇〇三年）

アンネたち八人が二年間過ごした「隠れ家」での日記——諦《あきら》めないアンネの強い気持ちに、涙が流れる一冊

一九四二年六月十二日

あなたになら、これまでだれにも打ち明けられなかったことを、なにもかもお話しできそうです。どうかわたしのために、大きな心の支えと慰《なぐさ》めになってくださいね。

一九四二年九月二十八日（補足）

これまであなたにはずいぶん元気づけられてきました。同様に、いつものわたしの手紙の宛《あ》て先《さき》になっているキティー、彼女もやはり大きな励《はげ》ましになってくれます。ただ日記をつけるのより、こういう書きかたのほうがずっとおもしろいと思いますし、おかげでいまでは、つづきを書くのがほとんど待ちきれないくらいです。ほんと、あなたもいっしょにここへ連れてきて、とってもよかった！

ポイント解説

日記帳に名前をつけて、それに語りかけるという独特の体裁の日記を書き始めたのは、アンネが十三歳の時でした。冒頭文の記された一九四二年六月十二日から一九四四年八月一日まで、アンネはずっと日記をつけました。七百八十一日間の日記は、今やこの時代の一級史料として、歴史的な文書・書物・絵画などを保存し、後世に伝えることを目的にユネスコが創設した

「世界の記憶」に登録されています。

ユダヤ系ドイツ人のアンネ・フランクが生まれた一九二九年は、世界大恐慌が勃発した年です。ニューヨークの証券取引所で株価が大暴落して、アメリカの経済的な繁栄が終わりました。

一方、ドイツも経済恐慌に苦しみます。世界恐慌によって社会不安がたかまり、ナチス独裁体制が生まれます。ヒトラーは秘密国家警察（通称「ゲシュタポ」）を用いて、反対者を強制収容所に送り込みました。また特異な人種論にもとづきユダヤ人を迫害しました。

アンネ一家四人はオランダのアムステルダムへ引っ越します。隠れ家暮らしをしたのは知り合いの四人を加えた八人でした。もちろん多くの人たちの助けを受けました。

うんちく

日記を書き続けた理由を、アンネはこんなふうに語っています。

「あなたもとうからご存じのとおり、わたしの最大の望みは、将来ジャーナリストになり、やがては著名な作家になることです。はたしてこの壮大な野心（狂気？）が、いつか実現するかどうか、それはまだわかりませんけど、いろんなテーマがわたしの頭のなかにひしめいていることは事実です。いずれにせよ、戦争が終わったら、とりあえず『隠れ家』という題の本を書きたいとは思っています。うまく書けるかどうかはわかりませんが、この日記がそのための大きな助けにはなってくれるでしょう。」（一九四四年五月十一日）

しかしアンネの思いは叶わず、一九四四年八月四日、誰かに密告されてゲシュタポに隠れ家が襲われ、全員が逮捕されました。収容所を転々と移送された果てに、ドイツ北西部のベルゲン・ベルゼン強制収容所に送り込まれます。飢えと伝染病のひどいところでした。アンネは一九四五年三月に、水溜りの汚水のなかに顔を突っ込んで死亡しているのが発見されました。死因は病死でした。五か月後に英軍によりここが解放されたのですから、痛ましいかぎりです。十五年の生涯でした。

フランクル

『夜《よる》と霧《きり》——ドイツ強制収容所《きょうせいしゅうようじょ》の体験記録《たいけんきろく》』

(霜山徳爾訳、みすず書房、一九六一年)

人間は人間に対して、こうも残酷になれるのか——極限状況下に希望を失わず生還した、衝撃の体験記

「一心理学者の強制収容所体験」というこの書においては、事実の報告というよりもむしろ一つの体験描写に重きがおかれている。つまり何百万という人々によって様々に経験されたものの体験面が、ここで述べられることになるのである。すなわち直接に経験したものの立場からの「内部からみられた」強制収容所である。そしてこの叙述は、あの身の毛のよだつ戦慄《せんりつ》〈中略〉を述べるのを目的とせず、むしろ囚人の多くの細やかな苦悩を、換言すれば、強制収容所において、日々の生活が平均的な囚人の心にどんなに反映したか、という問題を取扱うのである。

ポイント解説

もし「人生で最も衝撃を受けた本は?」と問われたら、私はこの『夜と霧』だと答えます。「人間が人間に対して、ここまで残酷なことができるのか」というのが一つ。もう一つの理由は「数百万人のユダヤ人が虐殺されたアウシュヴィッツから奇跡的に生還した、その根源に希望があった」ということに対する衝撃です。

しかも、こういう体験をした著者のフランクルが精神医学の分野で「実存分析」という新しい理論を確立した、そのこと自体がまた一つの希望だと感じます。冒頭文にあるように、本書は一心理学者によって内部からみられた強制収容所の体験描写なのです。

国と国もしくは民族と民族が対立した時、人間はこうも残酷になれるのか。二十世紀の、最も文化的に成熟していたはずのドイツ民族がこんなことを起こしてしまったこと自体に、大きな恐怖を禁じえません。

うんちく

収容所では、希望を失った人から死んでいきました。とりわけクリスマスと新年の間に大量の死者が出たといいます。それは「クリスマスには家に帰れるだろう」という、はかない希望が打ち砕かれたからでした。

「人生から何をわれわれはまだ期待できるかが問題なのではなくて、むしろ人生が何をわれわれから期待しているかが問題なのである。」

つまり、人生の意味を問うのではなく、人生のほうから問いかけてくる問題に対して、自分がどう使命を果たすかを考える、それが絶望から身を救うことであるとしています。

そして圧巻は、フランクルが想像のなかで創り上げた、愛する妻の面影によって、精神が満たされることに気づいた場面です。

「愛による、そして愛の中の被造物の救い——これである。たとえもはやこの地上に何も残っていなくても、人間は——瞬間でもあれ——愛する人間の像に心の底深く身を捧げることによって浄福になり得るのだ」

フランクルは凄惨《せいさん》を極める状況にあってなお、ささやかな希望を失わず、愛する妻との精神的な会話から浄福を得て、生き延びることができました。そして、彼がいてくれたからこそ、こういう状況における精神のあり方が克明に残されました。この本が読み継がれていることだけでもすばらしいことです。

本書には二冊の訳本がありますが、私は旧版の霜山徳爾訳をお薦めしています。三十ページにわたり現場の写真や図版がついていて、読み手の理解を助けてくれるからです。収容所の建物やユダヤ人たちの連行風景、死体焼却炉、犠牲者の眼鏡の山・靴の山・灰の山、集団殺戮《さつりく》の跡……写真を見ると、民族を根絶やしにしようとする恐ろしい悪意に身も凍る思いがします。

おわりに

もう二十年ほど前ですが、私は『声に出して読みたい日本語』という本を出版しました。そのときに心がけたのは、できるだけ優れた作品の冒頭部分を集めようということでした。というのは、『吾輩は猫である』などでも、最初の一行は知っているけれども、続きがわからないという名作があるんですね。その続きが分かるといいなぁ、暗唱できると面白いなぁ、と思って作った記憶があります。

今回はより幅広いジャンルの名作を対象に、冒頭文に本当にこだわりきってみました。やってみて分かるのは、冒頭文というのは作品の筋に限らず、その著者の気合いというものが感じられるものだということです。スポーツの試合を見ていても、「この選手気合いが入っているな」とか「魂こもってるな」とか、「魂こもっている感」というのは大事です。本書でも、魂のこもり具合を分かっていただけたのではないでしょうか。

私は高校時代、地理の鈴木明徴《あきよし》先生に、「君たちは本を読むのが大切だ。三学期の授業は本を読むことにするから本を持って来なさい」と言われました。非常にテキパキした授業の進め方の先生だったので、二学期の終わりまでに一年分を終わらせていたんですね。それをきっかけに漱石とかいろんなものを続けざまに読みました。

やはり、最初の部分は印象に残ります。夏目漱石の『こころ』でいえば、先生というふうに呼んでいる存在が出てきて、それに惹かれていく様子ですね。どの作品でも、作品世界に入っていく導入部、『草枕』の「山路を登りながら、こう考えた。智に働けば角が立つ。情に棹させば流される。意地を通せば窮屈だ。とかくに人の世は住みにくい。」でもこの人の世を引っ越しても人でなしの国に行くしかないからどうする、と続くわけですが、こうした文章は高校時代に読んでもまだ覚えているものです。

ですから、全部は覚えきれなくても、あぁそうかそうか、あの作品読んだな、という記憶に残ればいいのです。その作品に導入されて誘われる感覚、誘われる快感というものを本書で味わっていただけたら、私としては本望です。

私自身も本をいろいろと買ってくると、最初の部分はとりあえず音読してみます。そうしますと、作者の調子と自分の身体感覚が合う、合わないというのが分かるんですね。

私たちは冒頭文を音読したり、黙読したりすることによって、作家さんのリズムというものを感じ取っています。音楽を聴くときも最初は肝心です。何といってもベートーベンというのは本当に天才でした。交響曲第五番の「ジャジャジャジャン」。あの「ジャジャジャジャン」という簡単なフレーズが世界じゅうの人の心を惹きつけてやまない。いまでも日本の幼児、小学校入学以前の子供たちでも「ジャジャジャジャン」は知っています。「ジャジャジャジャン」と聴いたら「あれだ」となる。これこそが冒頭の魅力です。そして第一楽章は全部「ジャジャジャジャン」の変奏、アレンジだけなんですね。

あんなシンプルなもののアレンジだけで第一楽章を作ってしまうベートーベン、すごいです。出だしの惹きつけ方が尋常じゃない。それはモーツァルトにもいえます。交響曲第四十番の「チャラチャン　チャラチャン　チャラチャンチャン」、あの冒頭を聴けば私たちはすぐにあの曲だと分かります。私が総合指導をしているNHK Eテレ「にほんごであそぼ」に美輪明宏さんが出て下さっているのですが、打ち合わせのときに、「齋藤さん、音楽っていうのはね、抑揚が大切なの」と言って、モーツァルトの交響曲第四十番の冒頭を歌ってくれたんですね。すごく豪華なのですが、美輪さんはどんなものでも冒頭の部分を実際にやってくださるんです。いろんなものの冒頭部分が美輪さんの中に入っているんです。

大ヒットしたYOASOBIの「夜に駆ける」は私も大好きな曲ですが、冒頭の「沈むように溶けてゆくように」だけで世界に引きずり込まれます。YOASOBIはその英訳を出していますが、逆空耳アワーみたいになっていて、英訳なのに日本語に聞こえるという不思議な訳です。英訳も冒頭を聴いただけで「夜に駆ける」の世界観に引きずり込まれます。

音楽と同じことが、文学や著作でも言えます。最初のところでググググッと入り込んでいける快感、誘われる快感、これが新しい世界を見させてくれる入り口です。私たちはこの世に生まれ落ちてから、自分という人間とばかり付き合っていては飽きてくると思います。ですから新しいものと触れる、はじめての名作と触れることによってどこまでも深い世界に触れていただきたい。

私も小さい頃からいろんなものを読んできました。小学生の頃はトルストイやシェークスピアを読んでいました。トルストイの『アンナ・カレーニナ』に書かれている、幸福というものはだいたいみんな似たようなものだけど、不幸な家庭はそれぞれに不幸であるという文章を読んで、おぉー、カッコいいと叫んだりもしました。

みなさんもいろいろなものを読むときに、感性をオープンにしておくと、ドンといい感じで自分に合った本に出会えるでしょうし、本の選び方もすごく変わると思います。書店に行って、冒頭のところをパラパラ見て、「これ、イケるかもしれない」というファースト・インプレッションで本を買って、カフェに入って読む、というライフスタイルを実践していただけると、日本の文化水準も非常に高くキープされるんじゃないかと思っています。

本を読む人が少なくなっていると言われている現在、「本ほど素晴らしいものはない、本ほど豊かな世界はほかにはない」、そういう強い確信をもって私はこの本を世に出させていただきました。

最後になりましたが、本書で作品を引用させていただきました著者、訳者、校注者、出版社の方々に心から感謝申し上げます。

著　者

著者

齋藤孝（さいとう　たかし）

1960年静岡県生まれ。東京大学法学部卒業。同大学大学院教育学研究科博士課程等を経て、現在、明治大学文学部教授。専門は教育学、身体論、コミュニケーション論。
主な受賞作品に、宮沢賢治賞奨励賞を受賞した『宮沢賢治という身体』（世織書房）、新潮学芸賞を受賞した『身体感覚を取り戻す』（NHKブックス）、シリーズ260万部を記録し、毎日出版文化賞特別賞も受賞した『声に出して読みたい日本語』（草思社）などがある。『座右のニーチェ』（光文社新書）、『古典力』（岩波新書）、『50歳からの音読入門』（だいわ文庫）、『30代の論語』『60代の論語』（祥伝社新書）など著書多数。NHK Eテレ『にほんごであそぼ』の総合指導もつとめる。

齋藤孝《さいとうたかし》の冒頭文《ぼうとうぶん》de文学案内《ぶんがくあんない》
――1分《ぶん》で蓄《たくわ》える知識《ちしき》＆読《よ》みどころ

2021年12月10日　第1刷発行

著　者　齋藤孝
発行者　富澤凡子
発行所　柏書房株式会社
　　　　東京都文京区本郷2-15-13（〒113-0033）
　　　　電話 (03) 3830-1891［営業］
　　　　　　 (03) 3830-1894［編集］
装　丁　齋藤友貴（デジカル）
組　版　有限会社一企画
印　刷　萩原印刷株式会社
製　本　株式会社ブックアート

ISBN978-4-7601-5414-2